김익권 장군 자서전 3

김익권 장군 자서전 3

金益權 將軍 自敍傳

사진 앨범

김형인 편

열화당 영혼도서관

일러두기

· 이 책은 김익권(金益權)이 정리해 놓은 사진앨범 중에서 삼백아흔 장을 선별하여, 시기와 주제에 따라 아홉 장으로 구성하여 편집한 '김익권 장군 자서전' 세번째 권이다.
· '청년 장교 시절' '장군이 되어' '육군대학 총장 시절' 에서는 각각 김익권의 군(軍) 시절 사진을 먼저 싣고, 이어서 그 밖의 사진을 덧붙였다.
· 사진 선별 및 배치, 사진설명 작성, 각 장(章)이 시작될 때마다 실려 있는 시기별 개괄적 설명글 작성 등의 작업은 모두 김익권의 둘째딸 김형인(金炯仁)이 했으며, 편집은 김형인과 열화당 편집실의 공동작업으로 이루어졌다.
· 책을 만들면서 수록사진을 더 엄선하는 게 좋겠다는 의견이 높았으나, 그동안 집안의 다양한 면면을 수록해 달라는 김익권 가족의 요청에 따라 다소 장황하게 편집되었음을 양지해 주기 바란다.
· 사진설명에 언급되는 인물들은 김익권과의 관계에 따라 호칭했다.

p.2 사진 설명(위 왼쪽부터 지그재그로)—동래 육군종합학교 편찬과장 시절(1951), 광주 보병학교 교육담당 장교 시절(1952), 육군사관학교 교수부장 시절(1953-1955), 미국 지휘참모대학 유학 시절(1955-1956), 37사단장 시절(1962-1963), 5사단장 시절(1963-1966), 육군대학 총장 시절(1968), 육대 총장 시절(1970), 중경고등학교 교장 시절(1972).

서문
우리 집안의 내력, 우리나라의 역사

1.

나의 아버지, 시곡(柿谷) 김익권(金益權) 장군은 1922년 3월 14일(음 2월 16일)에 태어나서 2006년 10월 1일(음 8월 10일)에 작고하셨다. 태어나신 해는 삼일운동이 일어난 지 삼 년 뒤라 일본의 조선 통치가 더욱 뿌리 깊어졌을 때였다. 자라신 곳은, 지금은 서울시 강남구 논현동이 된 경기도 광주군(廣州君) 언주면(彥州面) 학리(鶴里)였다. 당시에는 그곳에서 서울 중심가로 가려면 한강을 배로 건넌 후에도 한참을 가야 했기 때문에, 청운공립보통학교(青雲公立普通學校)에 들어가고부터는 서울 종로구 통인동에서, 일찍이 혼자 되신 큰어머니의 보살핌을 받으면서 세 형과 작은누나와 함께 학교를 다니셨다. 할아버지께서는 주말에 한 차례 계란과 그 밖의 농산물을 마차로 한가득 싣고 와 자식들의 생계를 돌보셨다고 한다.

아버지는 형들을 따라 경성제이고등보통학교(京城第二高等普通學校)로 진학했고, 졸업 후 일 년 재수(再修)하여 경성제국대학(京城帝國大學) 예과 법과에 입학했으나, 일제에 의해 학도병으로 강제 징병당해 일 년 칠 개월간 중국 북부 전쟁터를 전전하다가 광복과 함께 집으로 돌아오셨다. 이후 대학에 복학하여 졸업한 뒤 조선경비사관학교(朝鮮警備士官學校)에 입교하여 구 개월의 교육을 마치고 육군 소위로 임관했고, 대한민국 정부 수립과 더불어 국군 소위가 되셨다.

이후 육군사관학교 교관으로 종사했고, 소령으로 진급해서는 작전국 군사편찬위원회에서 편집관으로 전투교범(戰鬪教範)을 만들던 중 육이오를 맞으셨다. 전쟁 중에는 작전국의 연락장교와 장교척후로서 상부의 명령을 예하부대에 전달하는 임무를 맡으셨고, 이후 동래 육군종합학교, 광주(光州) 보병학교에서 교범과 전사(戰史)를 편찬하다가 대대장, 부연대장을 지내고 미국 고등군사반에 유학한 후 강원도 양양에서 창설 69연대장으로 있다가 휴전을 맞으셨다.

휴전 후 진해에서 육군사관학교 교수부장을 역임하고 미국 지휘참모대학을 수료한 후 작전국 교육과장을 거쳐 진해 육군대학에 학생감으로 부임하셨다. 그곳에서 교수단장을 지내면서 장군이 되셨다. 이후 육군정훈학교 교장, 육군사관학교 생도대장, 37사단장을 거쳐 5사단장 시절 소장으로 진급하셨다. 6군단 부군단장을 지내고 육군대학 총장을 사 년 반 역임하다가 소장 만기 정년퇴역하셨다.

전역 후 가족의 생계가 막연해졌으나, 두 달쯤 지나 중경고등학교(中京高等學校) 교장을 맡아 달라는 청을 받고 흔쾌히 응하셨다. 중경고등학교는 근무지를 자주 옮기는 현역군인 자녀의 안정적인 교육을 목적으로 수립된 사립학교였는데, 재단 이사진에 중앙정보부장, 국방장관, 육군참모총장 등 고위 군인과 관료가 포진해 있었고, 어찌된 일인지 많은 사업체를 거느리고 있었다. 1971년 대연각 호텔 화재로 인해 호텔의 소유주인 중경재단의 비리가 드러나면서 재단의 쇄신이 이루어졌고, 고교 육영사업 이외의 다른 사업을 정리 폐지하고, 재단의 부채는 각 은행이 자체 해결하도록 하는 조치가 내려졌다. 축소되어 오직 고등학교만 남은 중경재단은 군부 직할로 개편되었고, 아버지는 이런 중경고등학교 쇄신책의 일환으로 교장에 추대되셨다.

아버지는 그 학교에서 아이들을 가르치는 일에 재미를 붙이고 열심히 일하셨지만, 워낙 군생활에 익숙한 분이라 나름의 고충도 있었을 것이다. 오 년 동안 교장으로 계시다가 쉰다섯에 공직을 면하고 한적한 은퇴의 나날을 보내셨다.

아버지는 조상님들의 애국심 덕분인지 말년에 재복을 누리셨다. 중경고 은퇴 무렵 또 한 번 생계 걱정이 닥쳐올 만했지만, 이번에는 서울시의 강남 개발이 본격적으로 진행되어, 장위동 집을 처분하여 고향 땅인 논현동에 집을 짓고, 그 앞의 도로변에는 땅 일부를 판 재원으로 건물 두 채를 지어서 별 어려움 없이 생업을 유지하셨다. 서너해 지난 뒤, 다시 땅 한 구역을 처분하여 경기도 광주군 목리(지금의 광주시 목동)에 일만 평의 산자락과 그 앞에 펼쳐진 팔천 평의 농토로 이루어진 시곡농장(柿谷農場)을 마련해서 자급자족적인 농사를 지으면서 안락한 노후를 보내셨다. 농장에는 여러 가지 채소와 과수를 심고, 잉어와 사슴을 기르며 항상 바쁜 일정을 보냈고, 수확철이 되면 지인들을 불러 사슴 뿔을 자르고, 매실 · 토마토 · 호두 등의 농작물을 친지에게 보내 주는 것을 큰 기쁨으로 알고 사셨다.

농장의 밭에서 산자락으로 이어지는 곳에는 석불 · 석탑 · 석등을 모셔 놓고 부처님 앞에 연못도 조성하셨다. 석굴암(石窟庵)의 불상, 불국사(佛國寺)의 석가탑(釋迦塔)과 석등을 팔분의 일 크기로 축소해 놓은 그 석조물들은, 논현동 집을 짓고 정원을 꾸미실 때 경복궁(景福宮)에서 열린 제2회 한국석조전시회에서 구입한 것들을 시곡농장으로 옮기신 것이다. 아버지는 매일 이 돌부처님께 예불을 드리셨다. 비가 내리거나 눈이 오는 날에는 거처하시던, '시곡유거(柿谷幽居)'라는 현판이 걸린 조그마한 농장 집 방안에서 예불을 올리셨다. 돌아가 시기 전까지 만년을 주로 그곳에서 머무셨으며, 서울에 올라오면 개포동 아파트에 마련된 불전(佛前)에서 예불을 올리셨다. 그렇게 하루도 거르지 않고 삼십 년 동안 예불을 드리셨다.

2.

이 책 『김익권 장군 자서전 3—사진앨범』에는 위에 언급한 아버지의 일생이 사진으로 담겨 있다. 사진집은 모두 아홉 개 장(章)으로 구성되어 있다.

첫번째 장 '시곡의 아버지 학산 김용대'에는 학산(鶴山) 할아버지의 사진과 유품(遺品)을, 두번째 장 '청년 시절의 김익권과 한정희'에는 아버지와 어머니의 젊은 시절 사진을 담았다. 이 두 장에 해당하는 시기는 남아 있는 사진이 적다. 육이오 전란 통에 '국군장교 가족은 찜을 쪄서 죽인다'는 소문이 돌아서 모든 가족사진을 불태워 버렸기 때문이다. 몇 안 되는 아버지의 유년과 청년기 사진들도 친척들이 보관하던 것이다.

세번째 장 '청년 장교 시절'에는 부산 · 광주에서 피란 생활과 연대장으로 복무한 육이오 시절에 이어, 육군사관학교 교수부장, 미국 지휘참모대학 유학 생활, 육군대학 학생감과 교수단장을 지내던 시기의 사진들을 한데 엮었다. 이 장부터 다섯번째 장까지는 각 시기마다 아버지의 군생활 사진과 가족사진 같은 개인적인 사진을 나누어 실었다.

네번째 장 '장군이 되어'에는 육군정훈학교 교장과 육사 생도대장 시절에 이어 37사단장, 5사단장, 6군단 부군단장으로 복무하던 시기의 사진들을 모았다. 이 중 육사 생도대장 시절의 사진은 단 두 장밖에 남아 있지 않다. 그때 아버지께서는 오일륙 군사정변을 겪으셨는데, 당시의 힘들었던 경험을 기억하기 싫으셨던지, 육사를 떠나면서 받은 모든 앨범과 사진을 파기해 버리셨기 때문이다. 남아 있는 두 장은 육사 간부들의 크리스마스 파티 사진으로, 어머니의 앨범에 보관되어서 파기되지 않은 것이다.

오일륙에 대해 내가 아버지로부터 들은 이야기를 정리해 보면 다음과 같다. 군사정변이 일어난 5월 16일 오전부터 '군사혁명위원회'는 육군사관학교 학생들의 환영시위를 촉구했다. 이 시위는 군사정변 주체에게 중대한 의미를 갖고 있었다. 사관생도들의 군사혁명 환영은, 곧 군의 젊은 장교들과 엘리트의 환영을 의미하며, 나아가 전군(全軍)이 혁명을 환영한다는 상징성이 있었기 때문이다.

육본에 차려진 군사혁명위원회는 정변 당일 학교로 전화를 걸어서 시위를 촉구하였으나 교장이 부재중이라 시원한 대답을 듣지 못했다. 그러자 헌병 일개 중대를 완전무장하여 세 대의 스리쿼터에 태우고 태릉으로 들이닥쳐 시위를 종용하며 위협했다. 그러는 동안 사관학교 교장은 어디에 있는지 아무도 몰랐다. 나중에 판명된 바로는, 교장은 미국이 군사정변에 대해 어떠한 입장을 취하는가에 대한 정보를 입수하기 위해 미군과 우리 군부대들을 찾아다녔다는 것이다. 그런데 그런 행보를 어떠한 육사 간부에게도 알리지 않아서, 육사는 교장 부재중 위급한 상황에 직면해야했다. 학생들의 운명이 헌병의 총칼 앞에서 어떻게 될지도 모르는 일이었고, 만일 학생들이 무기를 들고 헌병들에게 저항한다면 유혈사태가 벌어져, 군(軍)이 둘로 갈라져서 서로 총질을 하게 될지도 모를 위기였던 것이다.

이 사건은 결국 교장 부재중에 아버지가 생도대장으로서 상황판단을 하고 지도력을 발휘하여 어렵사리 헌병들을 돌려보내는 것으로 무사히 일단락 지어 졌으나, 이틀 후인 5월 18일 아침, 그 전 날 저녁에 육본에 구속된 육사 교장의 허가를 받아 아버지는 생도들의 혁명 환영 시위를 인솔하였다. 육사에서 트럭으로 이동한 예복 차림의 생도들은 청량리에서 내려 동대문에 집결하여, 지프차를 타고 선두에서 인솔하는 아버지를 따라 시청을 향해서 행진하였다. 노변에 운집하였던 군중들은 행진에 박수갈채를 보냈다. 행진에 자발적으로 환영하는 시민들의 모습은 민심과 국정에 상당한 영향을 끼쳤다. 환영시위가 끝나자, 그때까지 관망하던 미국은 군사정변을 인정하였고 윤보선 정부의 장면 내각은 해체되었다. 모두 18일 오전과 오후 사이에 일어난 일이었다.

그러나 시위가 끝나자마자 육사 교장과 아버지를 포함한 육사 간부 네 명은 서대문형무소로 끌려 갔다. 이들은 군사재판을 받은 후 모두 형을 받고 옥고를 치르고 퇴역당했으나, 아버지만 서대문형무소에서 열엿새 구류를 사신 후에 원대복귀하여 정상적인 군인 생활을 계속하셨다. 여러 지면에 실린 후일담에 의하면, 육사 간부 대부분은 혁명을 찬성하였으나 적극적으로 자신의 견해를 밝히지 않은 데에 비해, 아버지는 교장과 학생들에게 혁명을 찬성하는 개인적 입장을 확실히 밝혔기 때문에 면죄부를 받았다고 추정된다. 이런 힘들었던 사건으로 아버지는 육사에서의 일을 기억하기 싫어하셨다.

다섯번째 장 '육군대학 총장 시절'은 아버지의 군인 생활의 절정기라고 할 수 있다. 사 년 반 동안 군의 간성(干城) 교육에 열정을 바치며 젊은 장교들을 위한 지휘관으로서의 심신훈련과 자질연마에 심혈을 기울이시고, 당신께서도 마음의 여유를 누리셨다. 그러므로 아버지께서 남겨 놓은 사진 중에서 이 시기의 군생활 사진이 가장 많다.

육대 총장을 마지막으로 아버지는 1972년 2월 1일 이십사 년 동안의 군생활을 마치고 소장 만기 퇴역하셨다.

여섯번째 장 '전역 이후'에는 중경고등학교 교장으로 교육에 전념하시던 모습, 시곡농장 시절의 모습을, 일곱번째 장 '가족과 함께한 노년'에는 손주들과 찍은 사진, 가족들과 함께했던 여행 등의 사진을 모았다. 여덟 번째 장 '여행과 순례'에는 1986년 5월말부터 몇몇 육이오 참전국들이 참전한국장성을 초청함에 따라 어머니와 함께 이십팔 일에 걸쳐 다녀온 유럽과 미국 여행, 1993년 1월 결혼 오십 주년을 기념하여 부부동반으로 떠난 인도 성지순례, 그리고 그해 가을 꿈에도 그리던 백두산 여행을 하신 사진들을 한데 모았다.

마지막 장인 '시곡 김익권을 그리며'에는 아버지의 장례식과 묘소, 그리고 자필 유고(遺稿) 등의 필적 등을 담았다.

3.

우리 집안은 신라 경순왕(敬順王)의 팔세손인 문열공(文烈公) 김시흥(金時興) 님으로부터 시작되는 김녕김씨(金寧金氏)의 백촌공파(白村公派)의 한 갈래이다. 김녕김씨는 고려의 멸망과 더불어 중앙관서에 진출하기를 거부하며 향촌에 묻혀 산 충절한 가문으로 이름났다. 점차 조선의 세종(世宗) 대에 이르러 중앙으로 나아가 명문가로 발돋움하였으나, 세조(世祖)가 왕위를 찬탈할 때에 백촌공의 순절과 더불어 그 후손은 멸문지화(滅門之禍)를 당한다.

문열공의 팔세손인 충의공(忠毅公) 백촌 김문기(金文起) 님은 세종 · 세조 대에 공조판서(工曹判書), 삼군도진무(三軍都鎭撫)를 역임하셨는데, 사육신(死六臣)의 단종복위운동(端宗復位運動)에 최고위

무장으로 참여하시어 큰아드님과 함께 순절하셨다. 그로부터 이백칠십삼년이 지나 영조(英祖) 7년(1731)에 신원(伸寃) 복관되기까지, 가까스로 화를 피한 자손들은 오랫동안 역적으로 몰려 분명 신분을 숨기고 살았으리라고 짐작된다. 그 후 영조 33년〔1757, 김녕김씨 족보에는 정조(正祖) 2년(1778)으로 되어 있다〕에는 백촌공에게 충의(忠毅)란 시호가 내려지고, 숭정대부(崇政大夫) 의정부좌찬성(議政府左贊成) 겸 판의금부사(判義禁府事), 이조판서(吏曹判書), 지경연춘추관사(知經筵春秋館事) 홍문관대제학(弘文館大提學) 지성균관사세손이사(知成均館事世孫貳師)를 증직 받으셨다. 이때부터 우리 집안의 가세가 조금씩 일어나기 시작한다.

학동파의 시조가 되시는 김녕김씨 십육세손 김수명(金壽明) 님은 백촌공의 칠세손이며 시곡 김익권의 팔대조로서 수원 부근에 거주하셨으나, 아들 김유징(金有徵) 님과 손자 김예만(金禮萬) 님은 지금의 서울 개포동 부근에 사시다가, 시곡의 오대조인 십구세손 김흥대(金興大) 님 대부터 학동에 터전을 잡아 재산을 모으고 김녕김씨의 집성촌을 이루면서 무관으로 대거 진출하여 가계가 융성하게 일어났다.

『김녕김씨대동보(金寧金氏大同譜)』(권11, pp.167-173, 회상사, 1977)에 의하면, 시곡의 고조할아버지인 김녕김씨 이십세손 김덕록(金德祿) 님의 아들 삼형제는 모두 무과에 합격한 무인으로 큰아들 김치영(金致英) 님은 동지중추부사(同知中樞府事) 겸 오위장(五衛將)을 역임한 가선대부(嘉善大夫)였으며, 둘째아들 김치석(金致錫) 님은 절충장군(折衝將軍) 부사과(副司果), 셋째아들 김치성(金致成) 님은 광주군 중군(中軍)을 역임하셨다. 이에 따라, 김치영 님과 김치석 님의 부인은 각각 정부인(貞夫人) 숙부인(淑夫人)이 되었고, 이들 삼형

제의 아버지 김덕록 님은 가선대부 한성부좌윤(漢城府左尹)에, 어머니는 정부인에 증해졌다. 그리고 이 세 무관의 할아버지인 김홍대 님은 통정대부(通政大夫) 공조참의(工曹參議)에, 할머니는 정부인에 증해졌다.

학동의 김씨는 이 세 무인 중의 맏형인 김치영 님 대에 이르러서 비로소 천석꾼이 되었고, 그분의 외아들이 시곡의 조부 되시는 김봉성(金鳳聲) 님으로, 절충장군(折衝將軍) 용양위부호군(龍驤衛副護軍)을 거쳐 시곡 가계의 무인 중 가장 직위가 높은 덕포진관(德浦鎭管) 주문도(注文島) 수군첨절제사(水軍僉節制使)를 지내신 가선대부이셨다. 김봉성 님과 같은 항렬에서는 그 외에도 세 분이 무과에 합격하여 김학성(金學聲) 님과 김완성(金完聲) 님은 두 분 다 절충장군 용양위부호군을 지내셨고, 김영성(金永聲) 님은 부사과를 지내셨다. 그 다음 대인 이십삼세손에서는 김용선(金溶善) 님이 동지중추부사 가선대부이셨고, 마지막으로 김용구(金溶龜) 님이 무과합격을 한 것으로 『김녕김씨대동보』에 나타난다.

위의 기록을 정리해 보면, 19세기 중엽부터 일본의 침략이 거세져 조선의 군대가 해체될 때까지, 시곡의 조상들은 김치영 님으로부터 시작해서 삼대에 걸쳐 아홉 분의 무인을 배출하였다. 그중 다섯 분은 가선대부로서 동지중추부사, 절충장군 용양위부호군, 오위장, 수군첨절제사 등을 역임한 고위 장교 내지 장군이었다. 그러나 19세기말 김용구 님이 무과 합격한 이후로 무계(武系)의 전통은 끊어진다. 이 시기는 한반도에 대한 야욕을 들어 내가는 일본이 조선에 신식군대 수립을 도와준다는 미명하에 조선의 군대를 해체해 가는 무렵이었다.

1881년 일본의 지도하에 신식군대인 별기군(別技軍)을 세워 궁성

수비를 맡기도록 한 것을 시작으로, 조선의 군대세력을 와해시키려는 일본의 계획은 주도면밀하게 진행되었다. 1897년에 대한제국이 수립되자 그 이듬해에는 대한제국의 신식 장교를 양성한다는 구실로 육군무관학교(陸軍武官學校)를 세웠다. 을사늑약(乙巳勒約) 체결 두 해 뒤인 1907년에는 조선의 전통적인 군대를 완전히 해산시켰다. 그리고 한일합병 한 해 전인 1909년에는 대한제국의 군부와 더불어 신식무관학교마저도 폐기하여, 무관학교 생도들을 일본 사관학교로 이전시키고, 그 후부터 한반도에서 장교를 배출하는 유일한 기관으로 일본 육사만을 남겨 놓았다.

이렇게 김녕김씨 무계의 전통이 끊어지는 19세기말에, 조선의 군대는 존폐의 시련을 겪고 있었다. 이 자서전의 첫번째 권인 『참군인을 향한 나의 길』에는 시곡의 아버지 학산 김용대(金溶大) 님이 청년시절에, 당신의 아버지이신 김봉성 장군을 금강산(金剛山) 건봉사(乾鳳寺)로 찾아뵈러 갔다는 이야기가 나온다. 그때는 전통적 군대가 점차 와해되어 가는 어려운 시기로서 마침 장군 할아버지께서 정년퇴역을 하셔서 금강산의 그 절에서 조선 군대의 앞날에 대한 비통한 심경을 달래셨으리라 생각된다.

이렇게 구한말에 전통적 군대가 해산되면서, 해산된 군인이나 그 후손들은 어떻게 되었을까. 간략히 말하자면, 일부는 의병활동을 하고, 일부는 초야에 묻혀 살고, 일부는 신식군대로 편입됐으리라는 가정을 할 수 있다. 신식무관학교 내지 사관학교 출신도, 대부분 일본 군대에 남았지만, 그중 일부는 독립군이 되어 만주벌판에서 싸운 이도 더러 있었다.

이러한 시대적 환경에서, 우리 집안의 무인 조상들은 나라가 망하자 우리나라의 전통적 방식대로 지조를 지키고 관직으로 일체 나가지 않은 채 초야에 묻혀 평범한 농민의 길을 걸었다. 아마 집안의 어른이신 김봉성 장군의 뜻을 받들어 그리했을 것이다. 그분은 당시 연세나 항렬로 보거나 직위로 보아 가장 웃어른이시기 때문이었다. 구식군대가 해체되자 학동에 살던 김녕김씨 문중은 대대로 내려오던 녹(祿)이 졸지에 없어진 실직자 신세나 다름없었다. 그리하여 갖고 있던 토지를 대를 내려가면서 쪼개어 살다 보니 자연히 가세가 기울게 되었다. 이를테면 일제 침략이 거세지면서 무반집안이 몰락하는 과정을 시곡의 가족사는 보여 주고 있는 것이다.

만일 일본군이나 독립군이 되었다면, 그 자손들은 영화를 누렸거나 이국땅에서 어려운 생활을 이어 갔거나, 둘 중의 하나였을 것이다. 그러나 우리 집안 무관의 후예들은 조상이 남겨 준 넉넉한 땅을 대대로 쪼개고 나누어 가꾸면서 살아갔고, 점차 여느 농부처럼 빈궁하게 살 수밖에 없었다. 그럼에도 불구하고 이후 학고을에서 평화롭게 삼대를 더 이어 살게 된 것이 무관 조상님들의 지조있는 현명한 선택 덕분이 아니었나 생각된다.

시곡의 아버지 학산은 조상의 뒤를 이어 관직에 제수되지 못하고 백두(白頭)로 늙으시는 것을 천추의 한으로 여기시다가, 옛 임금님께 충성을 바치는 마음이 남달라 이왕직(李王職)으로부터 선정릉 참봉직에 제수되었다. 비록 나라를 빼앗겨 공식 벼슬을 지내시지 못한 시골의 촌로이지만, 열심히 농사지으며 스스로 학습하던 전통적인 대부가정(大夫家庭)의 정신을 계승하여, 마을의 지도적 인사로서 역할을 다하며 자식을 신식 학문으로 교육시켜 가세를 다시 일으키신다. 이런 가풍 아래서 김익권 장군이 배출되어 무관의 기상과 나라 사랑의 전통을 이어받는다.

그러나 한때 흥했던 학산의 직계 가계에도 시련이 닥친다. 시곡의 큰형 일범(一凡) 김일권(金一權) 님이 건국을 앞두고 좌우대립이 심할 때에 괴한에게 피살당함으로써 시곡의 가세는 다시 기울어 간다. 일범은 일제강점기에 농촌계몽운동을 활발히 했고 상왕십리(上往十里)에서 큰 약방을 경영하던 유망한 정치가였으나 어린 자식을 남겨두고 부모에 앞서 타계했다. 시곡의 둘째형 김재권(金再權) 님의 번창하던 사업도 한때 기울어 간 적이 있었고, 시곡도 신경쇠약에 시달리며 박봉의 대령 생활을 오래 했다. 그러다가 차츰 둘째형이 충남대학교 공과대학 교수가 되고 시곡은 장군이 되면서 가세는 다시 펴나가기 시작한다.

이 자서전은 단편적이나마 이렇듯 질곡 많았지만 끊임없이 새로운 맥박으로 펼쳐지는 우리나라 역사의 흐름 속에서 사람들이 어떻게 생각하고 어떻게 살았는지를 들여다볼 수 있게 해주는 귀중한 자료이다. '김익권 장군 자서전' 세 권은 나의 집안 이야기를 넘어서 우리나라 사회사의 한 중요한 흐름을 펼쳐 보여 준다. 거기에는 잃어버렸던 족보를 찾아 가문의 참된 뿌리를 찾아 올라가는 드라마틱한 이야기도 있고, 지극정성으로 경천애민(敬天愛民) 하면 모든 일이 잘 풀린다는 옛 지성인들의 소박한 믿음도 담겨 있다. 그러므로 나로서는 이 책을 편집한 것이 역사학도로서 학술활동을 한 일 중 가장 보람찬 것이었다고 서슴없이 말하고 싶다.

2011년 7월

김형인(金炯仁)

차례

시곡의 아버지 학산 김용대

시곡(柿谷) 김익권(金益權)의 아버지 학산(鶴山)
김용대(金溶大)는 1883년 8월 4일(음력)에 경기도 광주군
언주면 학리(지금의 서울시 강남구 논현동)에서 강화 주문도
수군첨절제사(水軍僉節制使) 김봉성(金鳳聲)과
정부인(貞夫人) 경주김씨(慶州金氏) 사이에 다섯째아들로 태어났다.
어려서 서당에 다녔고 장성하면서 스스로 한학을 공부하여
광주군 일대에서 존경받는 지식인이 되었다.
농업과 여러 가지 사업으로 자수성가하고 동리 이장을
오랫동안 지냈다. 일제치하에서 관을 쓰지 못해 백두(白頭)로
늙는 것이 불효라 한탄하던 터에, 이왕직(李王職)으로부터
선정릉(宣靖陵) 참봉(參奉)에 제수되어
평소 바라던 대로 갓을 쓰고 노년을 마감하였다.
김익권의 어머니 박용인(朴容仁)은 용인 출신으로,
시골 살림을 하면서 오남매를 키웠다. 사리에 밝고
성격이 대범하며 결단성있는 강인한 여인이었다.

1. 김익권의 아버지 학산(鶴山) 김용대(金溶大)와 어머니 봉담(鳳淡) 박용인(朴容仁).
김익권이 광주(光州) 보병학교 근무를 마치고 9사단 30연대 대대장으로 발령받아
임지로 떠나기 전에, 숫고을(지금의 서울시 강남구 청담동)에 위치한
둘째형 김재권(金再權)의 집에서. 1952. 2

2

4

5

2. 학리에 있는 김익권의 조부 김봉성 장군 묘소에서.
김익권은 딸 셋을 낳은 뒤 아들을 얻어 조상님께 인사드리러
조부의 묘소를 찾았다. 왼쪽부터 아들 형신(炯信)을 안고 있는
아내 한정희(韓貞姬), 그 앞은 셋째딸 형의(炯義), 아버지 김용대,
둘째딸 형인(炯仁), 큰딸 형열(炯烈). 1957.
3. 조부의 묘소에서. 왼쪽부터 아들 형신을 안고 있는 아내 한정희,
아버지 김용대. 위와 같은 날.
4. 벚꽃이 만개한 창원 웅동(熊洞) 유원지에서. 육군대학(陸軍大學)
학생감으로 근무하던 때 김익권을 방문한 아버지 김용대와 함께.
왼쪽부터 아버지 김용대, 그 앞은 큰딸 형열, 셋째딸 형의,
아들 형신을 안고 있는 아내 한정희, 그 앞은 둘째딸 형인. 1958.
5. 숫고을의 둘째형 김재권의 집을 방문한 날 한강 변에서.
김익권이 근무하던 육군사관학교(陸軍士官學校)가 진해에서
태릉으로 이사하여 서울에 살게 되었다. 왼쪽부터 큰딸 형열,
어머니 박용인, 둘째딸 형인. 1954년 여름.

6

37사단장 시절, 김익권의 마흔두번째 생일을 맞아 사단장 관사에서 가족과 함께.
시 충남대 방직학과 교수였던 둘째형 김재권은 대전에서 가족들과 함께 증평(曾坪)으로 김익권을 방문했다.
줄 왼쪽부터 아들 형신을 안은 김익권, 아버지 김용대, 김재권, 셋째딸 형의,
줄 왼쪽부터 아내 한정희, 둘째딸 형인, 김재권의 둘째딸 형란(炯蘭), 형수 윤묘순(尹妙順). 1963. 2. 16. (음력)

아버지를 떠나보내며

7

8

10

김익권의 아버지 김용대는 1963년 가을에 작고했다. 당시에 학리의 선산으로 모셔졌고, 지금은 경기도 이천시 신둔면 수광리 604번지에 위치한 김녕김씨(金寧金氏) 학동종친회(鶴洞宗親會) 공원묘원(公園墓苑)에 안치되어 있다. 1963. 9. 6. (음력)

7. 상여를 메고 숫고을에서 학고을로 행상(行喪)하는 유족들
8. 큰누나 김언렴(金彦廉)의 장남 이혁수(李赫秀)가 영정을, 큰형 김일권(金一權)의 삼남 형욱(炯旭)이 지방을 들고, 딸들과 조카들이 꽃을 안고 뒤따르고 있다.
9. 화환, 만장, 영정과 상두꾼, 가족 친지가 뒤따르는 장례행렬.
10. 유족들이 지켜보는 가운데 하관(下棺)하고 있다.

12

13

1. 장례식 우인대표(友人代表)들과 함께. 왼쪽부터 백석주(白石柱) 장군, 유양수(柳陽洙) 장군, 김익권, 배덕진(裵德鎭) 장군,
익권의 대학동창 박광호(朴光鎬). 후에 백석주 장군은 합참의장, 유양수 장군은 동력자원부 장관, 배덕진 장군은 체신부 장관을 지냈다.

2. 장례식의 가족들. 왼쪽부터 아내 한정희, 둘째형 김재권의 사녀 형애(炯愛), 김익권의 둘째딸 형인, 김익권의 큰딸 형열.

3. 장례식의 가족들. ① 김재권의 둘째딸 형란, ② 김재권의 셋째딸 형국(炯菊), ③ 김익권의 셋째딸 형의, ④ 김익권의 둘째딸 형인,
김재권의 넷째딸 형애, ⑥ 김익권의 큰딸 형열, ⑦ 큰형 김일권의 둘째딸 형단(炯旦),
작은누나 김언례(金彦禮)의 삼녀 김도경(金道經),
큰누나 김언렴의 삼녀 이복수(李福秀), ⑩ 김재권의 큰딸
련(炯蓮), ⑪ 김언례, ⑫ 김일권의 넷째아들 형창(炯昌),
김일권의 큰딸 형숙(炯淑), ⑭ 둘째형수 윤묘순,
김일권의 셋째아들 형욱, ⑯ 김언렴, ⑰ 아내 한정희,
김재권의 큰아들 형문(炯文), ⑲ 큰형수 이숙례(李淑禮),
김언렴의 큰아들 이혁수, ㉑ 김익권, ㉒ 김재권의 둘째아들
무(炯武), ㉓ 김재권, ㉔ 김일권의 큰아들 형준(炯晙),
김일권의 둘째아들 형정(炯晶), ㉖ 형숙의 남편 오종근.

학산의 흔적

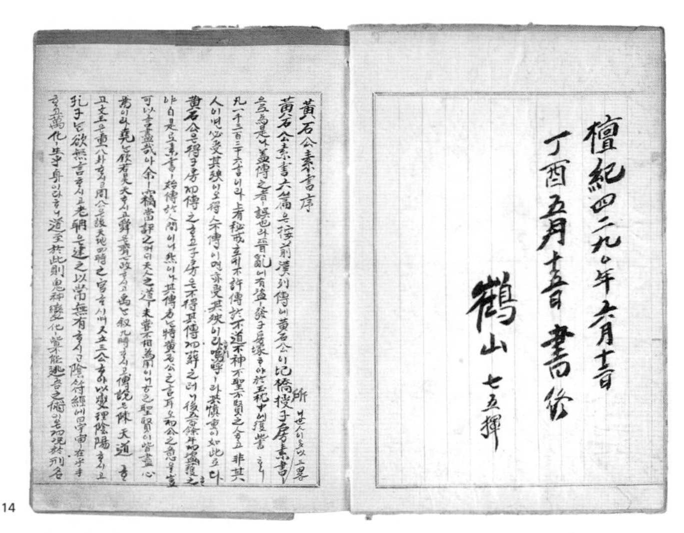

黃石公素書序

檀紀四二九〇年 六月十一日

丁酉五月十三日 書

鶴山 七五揮

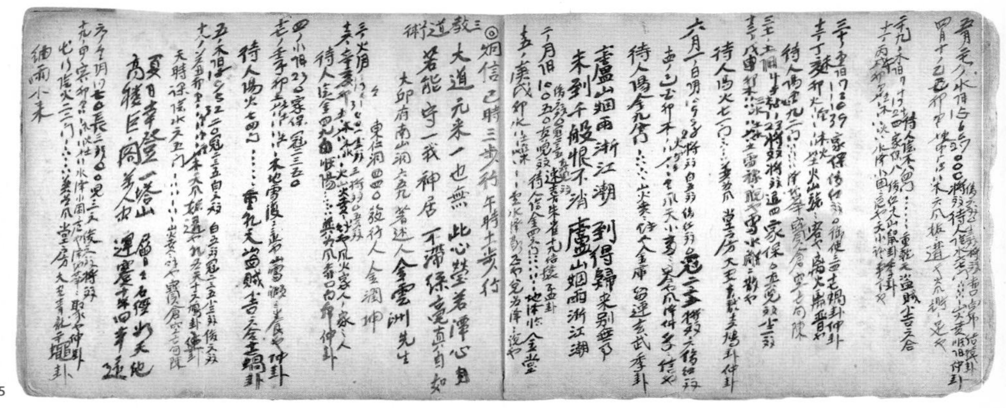

14. 학산 김용대가 직접 필사하여 소장하던 『황석공소서(黃石公素書)』. 김용대는 좋은 책을 보면 손수 필사하여 책으로 엮었다.

15. 김용대의 일기. 김용대는 평생 일기를 써 왔지만, 모두 소실되고 작고하기 전 몇 해분만 남아 있다.

16

17

김용대가 참봉(參奉)으로 봉직했던 선정릉(宣靖陵) 재실(齋室). 조선의 제9대 성종(成宗)과 제11대 중종(中宗)의 능에 딸린 재실로, 제관(祭官)들의 제사 준비, 왕의 휴식, 능을 관리하는 능참봉의 집무실 등의 용도로 사용되었다. 선정릉은 1970년 사적(史蹟) 199호로 지정되었고, 2009년 유네스코 세계문화유산으로 지정되었다.

16. 밖에서 바라본 선정릉 재실.
17. 재실 내부의 능참봉 집무실.

청년 시절의 김익권과 한정희

김익권은 1922년 3월 14일, 광주 학리에서
김용대와 박용인 사이에 사남이녀 중 막내아들로 태어났다.
청운공립보통학교(清雲公立普通學校)와
경복공립중학교(景福公立中學校)를 거쳐, 1941년
경성제국대학(京城帝國大學) 예과 법과에 입학하였다.
1943년 법문학부 본과 법학과로 진학했고,
그 해 12월 17일 한정희(韓貞姬)와 결혼했다.
이듬해 1월 20일에 학도병으로 징집되어,
일 년 칠 개월을 중국 산동성 전선에서 종군했다.
해방을 맞아 경성제대에서 개편된 경성대학(京城大學)
이학년으로 복학했다. 1946년에 삼광국민학교(三光國民學校)
교사 관사였던 적산가옥을 불하받아, 그때까지 살던 상왕십리
큰형 김일권(金一權)의 집에서 분가했다. 9월 29일 첫딸
형열(炯烈)이 태어났고, 1947년 7월 10일에 다시 개편된
서울대학교 법과대학을 일회로 졸업하였다.

18

18. 유년 시절 형제자매와 함께. 왼쪽부터 큰누나 김언렴, 셋째형 김중권(金重權),
김익권, 그 뒤는 둘째형 김재권, 작은누나 김언례.
상왕십리에서 일신당(日新堂) 약국을 운영하던 큰형 김일권은 사진에 빠져 있다.
둘째형은 당시 경성제이고등보통학교(京城第二高等普通學校)에 다녔고,
큰누나는 학고을에서 집안 살림을 도왔고, 작은누나는 배화고등여학교(培花高等女學校)에
다녔다. 김익권과 청운공립보통학교(淸雲公立普通學校)를 같이 다니던 셋째형은,
훗날 경성제이고등보통학교를 다니던 중에 사망했다. 1928.

19

20

19. 청운공립보통학교 졸업사진. 뒤에서 둘째 줄 왼쪽에서 네번째가 김익권.
앞줄 가운데는 일본인 담임교사 아사오카 간지로(朝岡 貫二朗). 1935.

20. 한정희와 큰형수와 함께 송도에서. 왼쪽부터 조카를 안고 있는 큰형수 이숙례, 김익권, 한정희.
당시 김익권과 교제 중이었던 한정희는 인천 영화여자국민학교(永化女子國民學校) 교사로 있었다. 1940년대초.

21. 징집되기 전, 경성제대 교복을 입은 김익권. 1943. 12.

22

23

24

22. 학도병으로 징집되기 며칠 전에 상왕십리의 큰형 김일권의 집에서 가족들과 함께.
김익권은 경성제국대학(京城帝國大學) 예과 법학과 재학 중에 학도병 징집 통보를 받고,
한정희와 결혼하였다. 앞줄 왼쪽부터 조카 형준, 작은누나 김언례, 조카 형욱을 안고 있는 큰형수 이숙례,
아내 한정희, 조카 형정. 뒷줄 왼쪽부터 둘째형 김재권, 큰형 김일권, 김익권, 조카 형숙.
앞의 사진과 같은 날.
23. 결혼 직후의 한정희. 해방되어 김익권이 돌아올 때까지, 아내 한정희는 상왕십리의
큰형 김일권의 집에서 살았다. 앞의 사진과 같은 날.
24. 징집되기 전의 김익권 부부. 앞의 사진과 같은 날.

결혼 전의 한정희

25

26

27

25. 배화고등여학교 시절 경주 안압지로 수학여행에서. 당시 배화고녀는 미션계 학교로 조선총독부의 규제를 덜 받았다. 그래서 한정희는 한글 붓글씨를 배우기도 했고, 우리나라의 유적지를 탐방할 기회도 가질 수 있었다. 1938.
26. 배화고녀 시절의 한정희. 1930년대
27. 배화고녀 졸업 사진. 1939.

28

29

28. 배화고녀 교정에서 선생님과 친구들과 함께. 왼쪽에서 두번째가 한정희. 1930년대말.
29. 졸업사진을 위해 가장(假裝) 의상으로 치장한 배화고녀 친구들과 함께.
앞줄 가운데가 한정희. 1939.

30

31

32

30. 공주여자사범학교(公州女子師範學校)에 다니던 때. 한정희는 공주여자사범 일회 졸업생이다. 뒷줄 오른쪽에서 두번째가 한정희. 1939-1940.

31. 소학교 교사로 근무하던 시절 한 학생과 함께. 1940년대초.

32. 공주여자사범학교 시절의 친구들과 함께. 가운데 줄 맨 오른쪽이 한정희. 1939-1940.

청년 장교 시절

대학 졸업을 아흐레 앞둔 1947년 7월 1일
조선경비사관학교(朝鮮警備士官學校)에 입교한 김익권은,
1948년 4월 졸업과 동시에 육군 소위로 임관하여
1연대 소대장, 육군사관학교(陸軍士官學校) 교관을 지냈다.
1948년 12월 중위로, 1949년 3월 대위로 진급했고,
1949년 4월 둘째딸 형인(炯仁)이 태어났다.
1950년 2월부터 육군본부에서 미국 전투교범을 번역 · 편집했고,
3월 소령으로 진급했다. 육이오가 발발하여 후퇴작전에
참전했으며, 후에 동래 육군종합학교 편찬과장으로
발령받았고, 10월에 중령으로 진급했다. 이후 광주 보병학교를
거쳐 9사단 30연대 대대장과 9사단 29연대 부연대장으로
복무했고, 미국 보병학교에 유학했다. 1953년 4월
대령으로 진급했고, 22사단 69연대장과 육사 교수부장으로
근무했다. 1955년 1월 셋째딸 형의(炯義)가 태어났고,
미국 지휘참모대학에 유학한 뒤 육본 교육과장을 지냈다.
1957년 육군대학(陸軍大學) 학생감으로 발령받았으며,
7월에는 아들 형신(炯信)이 태어났다. 1958년에는
교수단장으로 전보 발령받았다.

33

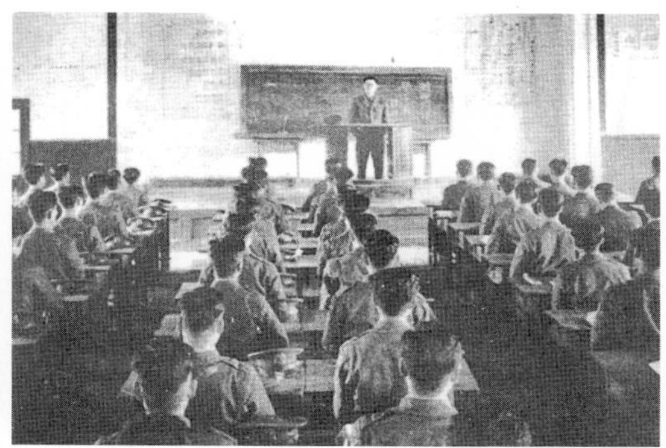

35

. 태릉에 있던 조선경비사관학교(朝鮮警備士官學校) 전경. 1948.
. 삼일절을 맞아, 강당에서 열린 전교생 회식. 1948. 3. 1.
. 정신순화를 위한 선배 생도의 훈화. 1948.

36. 조선경비사관학교의 졸업앨범 편집진. 앞줄 왼쪽에서 두번째가 박재곤(朴宰輥) 생도.
미술에 재능이 있어 졸업앨범 편집에 참여했던 박재곤 생도는 광복군(光復軍) 출신으로,
육이오 때 전우애가 깊어져 노년에 김익권의 농장을 자주 방문했다. 1948.
37. 김익권의 조선경비사관학교 졸업 사진. 1948.
38. 김익권이 속했던 2중대 3구대 구대장 김희덕(金熙德) 중위. 후일 대구의 작전국과 6군단에서
김익권의 상관이었고, 삼성장군(三星將軍)까지 올랐다. 1948.
39. 생도 시절 절친했던 동료 장철부(張哲夫) 생도의 졸업사진.
학도병 시절 중국으로 도피하여 중국에서 사관학교를 졸업하고, 후에 조선경비사관학교에 입교했다.
육이오 때 공을 많이 세우고 순국하여, 2002년 전쟁기념관에서 꼽은 호국인물로 추앙되었다. 1948.

41–42

43

40. 조선경비사관학교에서 육군사관학교로 교명이 바뀐 뒤, 교관 시절 교정에서 동료들과 함께. 맨 왼쪽이 김익권. 1948–1950.

41. 육사교관 시절의 김익권. 1948.

42. 육사교관 시절의 장철부.

43. 장철부의 묘. 육이오 때 전사한 기병대장 장철부 중령의 유해를 국립묘지(지금의 국립서울현충원)에 이장했다. 현재는 국립대전현충원에 안치되어 있다. 1971.

영관급(領官級) 장교 시절

44

44. 22사단 69창설연대 연대장 시절. 1953. 4–12.

45. 인천항에서 두 딸과 함께. 육군사관학교 교수부장으로 근무하던 때, 미국 육군사관학교(US Military Academy)와 군사교육기관을 시찰한 뒤 인천항으로 귀국했다. 왼쪽부터 큰딸 형열, 김익권, 둘째딸 형인. 1954. 10.

46

69연대장 시절부터 김익권과 평생 교유한 연대 고문 어빈(J. P. Ervine) 소령과 함께.
소령은 후에 중령으로 전역했다. 1953. 9.

47

48

50

미국 지휘참모대학(US Army Command & General Sta
College) 유학 시절. 1955. 6. 25-1956. 7. 12.

47. 벗들과 함께. 오른쪽부터 유양수 준장,
한 사람 건너 모자 쓴 이가 김익권.
48. 한국 유학생들의 결연가정인
바터(D. Barter) 씨 집에서.
49. 한복을 입은 김익권. 유양수 준장이 찍었다. 1956.
50. 뉴욕의 엠파이어스테이트 빌딩 옥상에서.

51

육군대학 교수단장 시절 정규과정 졸업식. 앞줄 오른쪽에서 두번째가 백석주 대령, 다섯번째가 김익권,
번째가 이종찬(李鐘贊) 총장. 이종찬 장군은, 1952년 부산정치파동 때 계엄령을 선포하려는
령 이승만(李承晩)의 뜻을 거부하여 육군참모총장에서 해임되어 육대 총장으로 물러 앉았다.
국방부 장관과 국회의원을 지냈다. 1959. 6.

큰형 일범(一凡) 김일권을 추억하며

52

52. 고궁에서. 왼쪽부터 큰형 김일권, 김일권의 친구. 1940년대 후반.

53

55

. 김일권의 장례식. 경성약학전문학교(京城藥學專門學校, 지금의 서울대학교 약학대학)를 졸업하고 상왕십리에서 일신당 약국을
경하면서, 대한독립당(韓國獨立黨)과 대한독립촉성국민회(大韓獨立促成國民會)의 성동구 총무와 민보단(民保團) 성동분단(城東分團)
루부장으로 대한민국 정부 수립을 위해 활발하게 정치활동을 하던 큰형 김일권이 자택에서 암살되었다.
례는 상왕십리 자택 앞 광장에서 서울시 민보단과 성동구 민보단의 민보단합동단장(民保團合同團葬)으로 치러졌고,
주는 임흥순(任興淳), 사회는 유성권(劉聖權)이 맡았다. 1948. 11. 28.
. 임시 폐쇄된 전찻길을 지나는 장렬(葬列). 위와 같은 날.
. 선산으로 나가는 상여. 위와 같은 날.

56

56. 장례식의 유족. ① 작은누나 김언례,
② 둘째형수 윤묘순, ③ 큰누나 김언렴,
④ 아내 한정희, ⑤ 둘째형 김재권의 큰아들 형문,
⑥ 김일권의 큰사위 오종근, ⑦ 김일권의 큰딸 형숙,
⑧ 김일권의 큰아들 형준, ⑨ 김일권의 둘째아들
형정, ⑩ 김일권의 셋째아들 형욱,
⑪ 김일권의 둘째딸 형단,
⑫ 김일권의 넷째아들 형창을 안은 큰형수 이숙례,
⑬ 김재권, ⑭ 김익권. 1948. 11. 28.

57

57. 육이오 때, 부산에서 유학성(劉學星) 중위 가족과 함께.
육이오가 발발하여 부산으로 후퇴한 후, 김익권은 동래 육군종합학교 편찬과장으로
전사(戰史)를 편찬했다. 유학성은 훗날 삼성장군을 거쳐 국회의원을 지냈다.
앞줄 왼쪽부터 큰딸 형열, 아내 한정희, 둘째딸 형인을 안은 유학성의 아내 안부성(安富星),
뒷줄 왼쪽부터 김익권, 유학성 중위. 1950. 12–1951. 11.

58

60

58. 부산에서. 앞줄 오른쪽부터 작은처남 병년, 큰딸 형열,
뒷줄 왼쪽부터 큰처남 근호, 아내 한정희. 1951.
59. 부산에서. 왼쪽이 김익권, 오른쪽 앞이 큰딸 형열. 1951.
60. 광주 보병학교 시절, 피란생활을 하던 가족.
앞줄 왼쪽부터 팔촌동생 진숙(鎭淑), 그 앞은 큰딸 형열,
둘째딸 형인을 안은 아내 한정희, 작은처남 병년,
뒷줄 왼쪽부터 장모 황음전(黃音全), 김익권, 큰처남 근호. 1951

피란에서 돌아와 잠시 살던 돈암동 집

61

62

63

64

65

돈암동 집 앞에서. 1953.

61. 어빈 소령으로부터 선물로 받은 만화책을 읽는 아이들과 함께. 왼쪽부터 김익권, 둘째딸 형인, 아내 한정희, 큰딸 형열.
62. 앞줄 왼쪽부터 팔촌동생 진숙, 둘째딸 형인, 큰딸 형열, 후암동 집에 살던 박경호(朴景浩)의 막내아들 상화,
뒷줄 왼쪽부터 아내 한정희, 김익권, 박경호의 딸 정순.
63. 김익권 내외와 두 딸. 앞줄 왼쪽부터 둘째딸 형인, 큰딸 형열.
64. 어빈 소령이 김익권의 두 딸을 안고. 왼쪽이 큰딸 형열, 오른쪽이 둘째딸 형인.
65. 아내와 함께.

66

66. 박경호와 함께, 부산 범어사(梵魚寺)에서. 박경호는 1950년대에 김익권의 후암동 집에 살았다. 김익권이 육사 교수부장으로 있을 때 방문한 박경호와 함께 부산의 범어사를 찾았다. 왼쪽부터 김익권, 박경호, 그 앞에 앉아 있는 이는 연락병 김종길. 1954. 3. 28.

장조카 형준의 결혼식

67

68

조카 형준의 결혼식. 1954.

. 결혼식 가족 사진. 앞줄 왼쪽부터 큰딸 형열, 들러리를 선
재딸 형인, 조카 형숙의 딸 오장환, 가운데 줄 왼쪽에서
번째부터 팔촌동생 진숙, 신랑 형준, 신부 전준호(田俊鎬),
줄 오른쪽부터 큰형 김일권의 차남 형정, 김익권,
일권의 큰딸 형숙, 형숙의 남편 오종근.
. 창경원[昌慶苑, 지금의 창경궁(昌慶宮)]에서.
혼식이 끝나고 조카 형준 부부와 가족이 함께
극장에서 〈로미오와 줄리엣〉을 보고 창경원에서 나들이했다.
줄 왼쪽부터 큰형 김일권의 둘째딸 형단, 조카 형숙의 딸 오장환,
뒷줄에 조카며느리 전준호, 그 뒷줄 왼쪽부터 김익권,
일권의 장남 형준, 김익권의 둘째딸 형인, 그 뒷줄에 김일권의
딸 형숙. 위와 같은 날.

아이들이 태어나고 자란 후암동 집

69

71

69. 돌을 맞은 셋째딸 형의. 1956. 1. 5.

70. 아내와 세 딸. 왼쪽부터 둘째딸 형인, 큰딸 형열, 셋째딸 형의를 안은 아내 한정희. 위와 같은 날.

71. 두 딸과 애견 에쓰. 김익권이 미국 지휘참모대학에서 돌아와 육군본부 작전국 교육과장으로 근무하던 때.
왼쪽부터 둘째딸 형인, 큰딸 형열. 1956.

72. 후암동 집 앞 골목에서. 아내와 세 딸. 왼쪽부터 셋째딸 형의를 안은 아내 한정희, 큰딸 형열, 둘째딸 형인.
김익권이 미국 지휘참모대학에서 유학하던 때, 아내가 편지와 함께 위의 사진을 보내 주어 김익권에게 큰 위로가 되었다. 1955.

74

76

아들 형신의 백일 사진. 왼쪽은 셋째딸 형의. 1957.

아들 형신을 안은 아내 한정희와 셋째딸 형의. 위와 같은 날.

왼쪽부터 큰딸 형열, 둘째딸 형인. 1955.

육본에서 근무할 때, 세 딸과 함께 남산공원에서. 왼쪽부터 큰딸 형열, 셋째딸 형의, 둘째딸 형인. 1957.

육대 학생감 · 교수단장 시절

77

78

77. 육군대학 학생감 시절. 1950년대 중반.
78. 한강에서 두 딸과 함께. 왼쪽부터 큰딸 형열, 김익권, 둘째딸 형인. 1954.
79. 육대 학생감 시절 두 딸과 함께. 왼쪽이 둘째딸 형인, 오른쪽이 큰딸 형열. 1958.
80. 아내와 두 딸. 왼쪽이 둘째딸 형인, 오른쪽이 큰딸 형열. 1958.

79

81

82

83

. 김익권이 군인 생활의 마지막 사 년 반을 기거했던
군대학 총장 관사. 1959년 가을.
. 배덕진 대령 가족과 속천으로 피크닉 가서.
익권은 육군대학 학생감으로 발령받아 가족보다 먼저 진해에
려가, 배덕진 대령 집에서 두어 달 신세를 졌다.
쪽부터 아내 한정희, 아들 형신, 뒤는 배덕진 대령 가족.
58년 여름.
. 아내와 아들 형신. 1959년 가을.

84

85

84. 육대 총장 관사 앞에서. 왼쪽부터 큰딸 형열, 셋째딸 형의, 아들 형신, 아내 한정희, 둘째딸 형인. 앞의 사진과 같은 날.
85. 아내와 아들 형신. 앞의 사진과 같은 날.

장군이 되어

김익권은 1959년 12월 장군으로 진급했다.
이듬해 어머니가 별세했고, 1960년 7월
육군정훈학교(陸軍政訓學校) 교장으로 발령받았다.
12월에는 육군사관학교 생도대장으로
발령받아, 1961년 오일륙 군사정변 시까지 복무하였다.
그 뒤 석 달 동안 육군본부 군수참모부에서 근무하다가
9월부터 이듬해 7월까지 국방연구원 학생으로 연수했다.
이후 충북지구 계엄사령관을 겸한 37예비사단장으로
임명되었으며, 1963년 6월에는 충북지역 예비사단
긴급동원 예비군훈련을 성공적으로 수행하였다.
1963년 음력 9월 6일, 아버지가 별세했다.
1963년 8월부터 이십일 개월 동안 5사단장을 지냈다.
1966년 5월부터 1967년 8월까지 6군단 부군단장을 역임했다.

86

87

86. 육군정훈학교(陸軍政訓學校) 교장 시절 훈화하는 김익권. 1960.
87. 37사단장 취임식에서 취임사를 하며. 1962.

88

89

육군사관학교 생도대장 시절. 육사 교장 사택에서 열린 간부들의 부부동반 성탄절 파티. 1960년 12월말.

88. 앞줄 오른쪽에서 두번째가 아내 한정희, 뒷줄 왼쪽에서 세번째가 김익권,
여섯번째가 강영훈(姜英勳) 교장.
89. 파티에서의 부인들. 맨 왼쪽이 아내 한정희.

최초의 예비군 동원 및 기동 훈련

90

육군 최초로 37사단에서 실시된 충북지역 예비군 동원 및 기동 훈련 참관을 위해
장에 운집한 이만여 명의 도민과 군인. 1963. 6. 12.

91

92

충북지역 예비군 동원 및 기동 훈련. 1963. 6. 12.

91. 군관민 협조 시범장 입구.

92. 훈련을 참관하는 내빈석의 모습.
왼쪽에서 두번째부터 2군사령관 김용배(金容培) 대장
3관구사령관 채명신(蔡命新) 소장, 김익권.

93. 적을 소탕하는 예비군.

93

94

95

96

지역 예비군 동원 및 기동 훈련.
3.6.12.

시범내용 설명장.
적 장비 전시장.
군관민 협조 시범장 입구.

97

97. 충북 증평에 위치한 37사단장 관사에서 아들 형신과 함께. 1963.

98

5사단장 시절, 훈시하는 김익권. 1965.
소총 사격 시범을 보이는 김익권. 1965–1966.

99

육군사단 기동훈련

100

102

여주 · 이천 지역에서 시행된 육군사단 '멸공 65 기동훈련'.
당시 5사단장 김익권과 6사단장 김재규(金載圭) 소장은 각각 홍군과 청군의 지휘관이 되어, 사단병력을 이끌며 가상 전투를 벌였다.
치밀한 전략을 세우고 격렬히 교전한 끝에, 김익권이 지휘한 홍군이 기습작전으로 승리했다. 1965.

100. 기동훈련 중 연대 병력의 행군.
101. 기동훈련 참관인단. 앞줄 왼쪽에서 세번째가 박정희(朴正熙) 대통령.
102. 여주 남한강 도하를 위한 부교를 설치한 후 확인하고 있다.
103. 완성된 부교.

106

: 65 기동훈련. 1965.

. 훈련을 마치고 회합장소로 이동하는 지휘부. 앞줄 왼쪽부터 김재규 소장, 김익권.
단장 김재규 소장은 후에 중앙정보부장을 지냈다.

. 지휘소에서 1군사령관을 영접하는 김익권.

. 전투훈련 후 가진 다과회. 김익권이 이끄는 5사단이 승리했지만, 박정희 대통령이 김재규 소장에게 먼저 악수를 청하자
| 실망한 김익권이 팔짱을 끼고 시무룩한 표정으로 앉아 있었다고 한다. 테이블 좌측 왼쪽에서 네번째가 김익권,
블의 우측 왼쪽에서 두번째가 김재규 소장.

부하들을 포상하며

107

108

107. 김진천(金振天) 소령의 196대대장 취임식에서. 김진천(오른쪽)은 훗날 대령으로 전역했고, 김익권 생전에 매년 설에 꼭 찾아와 인사를 했다. 1964–1965.

108. 사단 내 대대 대항 군가경연대회에서 일등을 한, 35연대 3대대 10중대 1소대장 이기웅(李起雄) 소위에게 표창하는 김익권. 아르오티시(ROTC) 2기로 임관하여 육군 소위로 전역한 이기웅(오른쪽)은 현재 파주출판도시 이사장 및 열화당(悅話堂) 대표로 있다. 1964–1965.

109

110

109. 6군단 부군단장으로 발령받아 취임인사를 하는 김익권. 1966.

110. 김희덕 군단장(왼쪽)으로부터 대통령 개인 표창을 전해 받는 김익권. 1966. 10. 7.

111

113
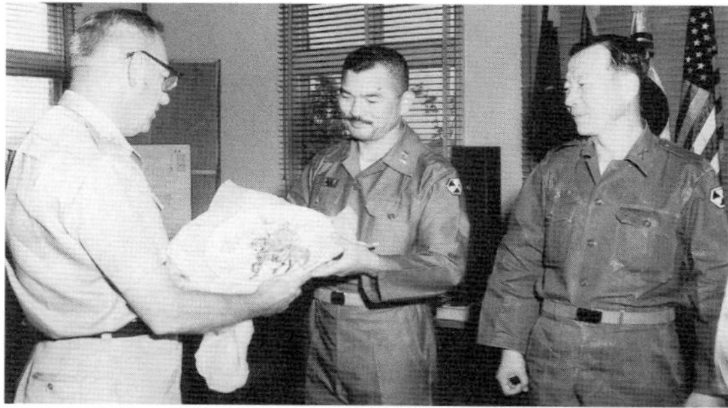

115

111. 미국 1군단장 보일(Boyle) 중장의 훈련장 방문. 왼쪽부터 김익권, 보일 중장. 1966. 9. 13.

112. 미 2사단을 방문한 김익권(왼쪽). 1966-1967.

113. 1군단 작전참모 브랜슨 대령에게 기념패를 증정하며. 왼쪽부터 브랜슨 대령, 김익권. 1966-1967.

114. 2군단장 문형태(文亨泰) 중장의 내방을 받으며. 왼쪽이 김익권. 1966-1967.

115. 6군단을 방문한 미 7사단장 일행과 함께. 가운데가 김희덕 군단장, 왼쪽이 김익권. 1966. 9. 16.

116. 망중한을 보내는 김희덕 장군(왼쪽)과 김익권. 김희덕 장군은 김익권이 육사 생도일 때 구대장이었다. 1966-1967.

장군이 되어—가족과 함께

117

해 웅동에서의 봄나들이. 육군대학 교수단장으로 근무하던
익권은 1959년 12월 장군으로 진급했는데, 큰딸 형열이
명여자중학교(淑明女子中學校)로 전학하고, 둘째딸 형인도
은 학교에 입학하게 되어 가족들이 서울로 이사 가기 전
께 나들이했다. 1960년 봄.

7. 앞줄 왼쪽부터 셋째딸 형의, 둘째딸 형인, 아들 형신,
딸 형열. 뒷줄은 김익권과 아내 한정희.
8. 왼쪽부터 큰딸 형열, 셋째딸 형의,
들 형신을 안고 있는 아내 한정희, 둘째딸 형인.

118

119

120

119. 아들 형신(왼쪽)과 연경희. 연경희는 37사단장으로 근무하던 김익권과 두터운 교분을 쌓은 연병혁(延秉赫) 증평국민학교(曾坪國民學校) 교장의 아들이다. 1963.

120. 37사단장 시절 괴산으로 간 가족 나들이. 앞줄 왼쪽부터 큰딸 형열, 셋째딸 형의, 아들 형신, 둘째딸 형인, 뒷줄은 아내와 김익권. 1962.

121. 아내와 함께. 위와 같은 날.

123

2. 국방연구원 연수생 시절, 남산에서 아이들과 함께. 왼쪽부터 셋째딸 형의, 김익권, 아들 형신. 1961. 9. 2.
3. 속리산 법주사(法住寺)에서 아내와 함께. 1962.

124

125

124. 5사단장 때, 아내와 함께한 여행에서. 1965.

125. 5사단장 관사에서 찍은 가족사진. 앞줄 왼쪽부터 셋째딸 형의, 아내 한정희, 김익권, 그 앞은 아들 형신, 뒷줄 왼쪽부터 큰딸 형열, 둘째딸 형인. 1964. 9. 20.

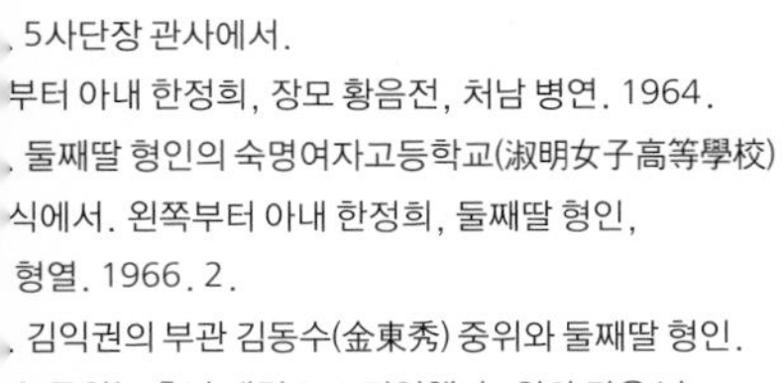
. 5사단장 관사에서.
부터 아내 한정희, 장모 황음전, 처남 병연. 1964.
. 둘째딸 형인의 숙명여자고등학교(淑明女子高等學校)
식에서. 왼쪽부터 아내 한정희, 둘째딸 형인,
형열. 1966. 2.
. 김익권의 부관 김동수(金東秀) 중위와 둘째딸 형인.
수 중위는 훗날 대령으로 전역했다. 위와 같은 날.

126

128

129

131

129. 후암동 집에서의 셋째딸 형의. 셋째딸 형의는 당시 삼영국민학교(三英國民學校)에 다니고 있었다. 1966년 봄.

130. 이화여자대학교 캠퍼스에서의 큰딸 형열. 1966년 봄.

131. 후암동 집에서의 둘째딸 형인과 셋째딸 형의. 둘째딸 형인(오른쪽)은 당시 고려대학교에 다니고 있었다. 1966년 봄.

132

132. 후암동 집에서. 왼쪽부터 김익권, 셋째딸 형의, 아들 형신.
아들 형신은 당시 셋째딸과 함께 삼영국민학교에 다니고 있었다. 1966년 봄.

모임에 참석한 아내

133

134

133. 청와대에서. 대통령 영부인 육영수(陸英修) 여사가 군 지휘관 부인들을
청와대로 초청하여 오찬을 함께했다. 왼쪽에서 두번째가 아내 한정희. 1965-1966.
134. 재건된 학송사(鶴松寺)에서 강일성(姜日成) 법사, 신도들과 함께.
한복을 입은 이가 한국 신도들, 양장을 입은 이가 축하하러 온 일본인으로 추정된다.
뒷줄 왼쪽에서 세번째가 아내 한정희, 맨 뒤 가운데가 강일성 법사. 1966. 2. 18.

육군대학 총장 시절

1967년 9월 진해 육군대학 총장으로 취임한 김익권은,
1972년 1월 14일까지 사 년 반 동안 육군 간성(干城)을 길러내는
교육에 열정을 쏟았다. 육군대학의 별장인 도불장(道佛莊)을
보수하여 학생들의 신체단련 프로그램을 보강하고,
교양증진을 위해 저명인사의 특강을 증설했다.
1968년에는 첨단 설비를 갖춘 육대 풀장을 개장하고,
1971년에는 국내 최초로 장교 아파트를 신축했다.
매년 학생들과 함께 남해안 전적지를 견학했으며,
설악산을 경유해 동해안 답사여행을 했다. 중년의 김익권은
그의 내면에 축적된 고전(古典)을 밑거름으로,
이 무렵부터 여행길에서 한시(漢詩)를 쓰기 시작한다.
1972년 2월 1일 김익권은 육군 소장으로 정년 퇴역하여
건군(建軍), 전쟁, 군사정변으로 파란만장했던
이십사 년간의 군인생활을 마감했다.
1970년 가을에는 이십여 년을 살던 후암동 집에서 장위동 집으로
이사했고, 그 이듬해에는 큰딸 형열이 결혼했다.

육군대학 총장으로 취임하여

135

136

135. 육군대학 총장 이취임식. 육군대학 구내 다방에서 열린 이취임식 연회에 온 한 어린이와 악수하는 김익권. 1967. 8. 31.

136. 육대 입교식. 총장으로서 학생들에게 경례를 받고 있다. 1960년대말.

전적지(戰蹟地) 현지 실습

137

139

137. 현지 실습장에서. 오른쪽에 등이 보이는 이가 김익권. 1969. 5. 23.

138. 육이오 때 낙동강 전선의 분수령이 된, 다부동(多富洞) 전투에 관한 현지 실습교육. 1970.

139. 다부동지구 전적비(戰蹟碑) 앞에 식수하며. 왼쪽에서 두번째가 김익권. 1967-1971.

140. 다부동지구 전적비 앞에서. 왼쪽에서 세번째가 김익권. 위와 같은 날.

심신 단련을 위한 훈련

142

144

. 도불산(道佛山)에서. 육군대학 뒤의 도불산 정상에 올라 휴식을 취하는 교관과 학생들. 1968-1971.

. 도불산에서 학생들에게 훈시하는 김익권. 1971. 4. 30.

. 간부장교들과 함께. 앞줄 왼쪽에서 두번째 흰 모자를 쓴 이가 김익권. 위와 같은 날.

. 도불장(道佛莊) 약수터에서 육군대학 간부장교들과 함께. 왼쪽에서 두번째가 김익권. 1970-1971.

명사 초빙강연

145

147

145. '화랑도 정신'을 강연하는 김용덕(金龍德) 중앙대학교 교수. 육군대학에서는 학생들의 포괄적 지식 함양을 위해, 각계의 명사를 초빙하여 강연을 열었다. 1967-1971.

146. '한국경제 전망' 에 관해 강연하는 조동필(趙東弼) 고려대학교 교수. 1967-1971.

147. 강연을 마치고 도불장에서 글씨를 쓰는 노산(鷺山) 이은상(李殷相). 그 뒤가 김익권, 오른쪽은 이종찬 전 육군대학 총장. 1967-1971.

148. '한국육군의 당면과제' 를 강연한 장우주(張禹疇) 장군(왼쪽)에게 감사패를 수여하는 김익권. 1967-1971.

149

150

151

공(忠武公) 이순신(李舜臣) 장군을
통영 충렬사(忠烈祠)에서.
7–1971.

. 충무공 제일(祭日)의 추모식.
. 추모식에 참석한 내빈들.
오른쪽에서 세번째가 김익권.
. 제주(祭主)를 부탁받아 예를
는 김익권.

152

154

육대 총장 재임 중 마지막으로 갔던 남해안 견학. 1971. 6.

152. 통영 제승당(制勝堂)에서. 제승당은 삼도 수군의 본영(本營)으로, 이순신 장군이 거처하면서 삼도 수군을 지휘하며 무기를 만들고 군량을 비축하던 곳이다.
153. 진주 촉석루(矗石樓)에서. 촉석루는 고려 말부터 진주성을 지키던 장수의 지휘소였다. 육이오 때 화재로 소실되었다가 1960년에 재건되었다. 김익권은 남해로 견학 갈 때는 매번 촉석루에 들렀다.
154. 통영 남망산(南望山)의 이순신 장군 동상 앞에서. 가운데가 김익권.

155

. 통영 세병관(洗兵館)에서 육군대학 간부들과 함께. 1603년에 이순신 장군의 전공을 기리기 위해 세워진 세병관은
도수군통제사영(三道水軍統制使營)으로 사용되었으며, 현재 보물 제293호로 지정되어 있다.
쪽에서 다섯번째가 김익권. 앞의 사진과 같은 날.

156

156. 남해안 견학 때, 선상에서 교수단장 오창보(吳昌輔) 장군(왼쪽)과 함께.
앞의 사진과 같은 날.

160

161

. 합천 해인사(海印寺)로 간 봄소풍. 오른쪽부터
딸 형인, 아내 한정희, 김익권. 1968. 4. 8.
. 설악산 답사여행에서 아내와 함께. 때로는 학교 간부의
들이 답사여행에 함께 하기도 했다. 1967-1971.
. 설악산 답사여행에서 육대 교수단 간부장교들과 함께.
쪽부터 교수단장 변일현(邊日賢) 장군, 김익권. 1967-1971.
. 뒷줄 왼쪽부터 김익권, 한 사람 건너 변일현 장군.
같은 날.
. 경주박물관에서 조카 형단의 남편 강우방(姜友邦) 박사와
. 답사여행에서 돌아오는 길에 국립박물관 경주분관(지금의
경주박물관)에 들러 당시 학예사로 근무하던 미술사학자
방을 만났다. 오른쪽부터 강우방, 김익권. 1971.

개교 기념 체육대회

162

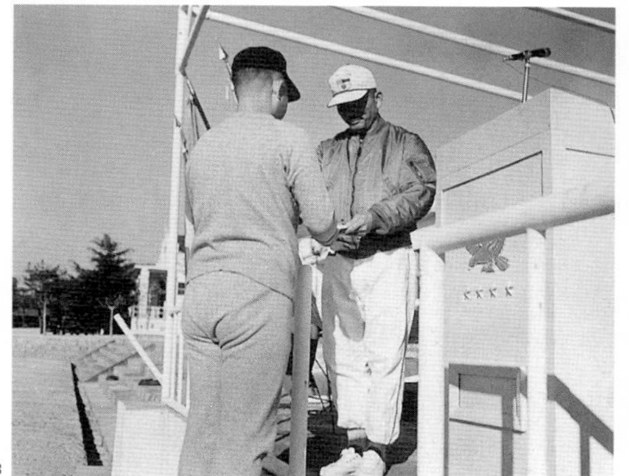
163

165

육군대학 개교 기념 체육대회. 육군대학은 영관급 장교들을 위한 고급 군교육기관으로, 당시 일 년 기간의 정규과정과 육 개월 기간의 단기과정으로 나뉘어 있었다. 매년 가을에 개교 기념 행사로 체육대회를 했다.

162. 체육대회 개막식. 1970. 10. 28.
163. 우승자에게 시상하는 김익권. 위와 같은 날.
164. 국기에 대한 경례를 하며. 위와 같은 날.
165. 야구시합. 1967–1971.

졸업과 진급을 축하하며

169

. 육대 졸업식에서 훈시하는 김익권. 1967–1971.

. 진급하는 부하에게 계급장을 달아 주며. 맨 왼쪽이 김익권. 1967–1971.

. 졸업생들의 경례. 1967–1971.

. 교수단장 오창보 대령(오른쪽)에게 표창하며. 1970. 1. 19.

장교 아파트를 세우며

170

171

172

육대 아파트 기공식과 준공식. 육군대학에서는 학생, 교관이 모두 교정 안에서 살았다. 낡은 관사 대신 김익권은 군 최초로 장교 아파트를 지었다.

170. 장교 아파트 기공식. 단상 위 앞줄 왼쪽에서 네번째가 김익권. 1971. 4. 23.
171. 기공식에서 첫 삽을 뜨는 내외 귀빈. 위와 같은 날.
172. 준공식에서. 오른쪽이 김익권. 1971년 가을

대만 육군지휘참모대학과의 교환 방문

173

175

. 대만 육군지휘참모대학 일행의 국방대학원 방문 기념사진. 우리나라 육군대학과 대만 육군지휘참모대학은
적으로 총장이 왕래하는 관례가 있었다. 상의 아래쪽 주머니가 겉으로 달려 있는 옷을 입고 있는 사람들이
육군지휘참모대학에서 온 장교들로 추정된다.
왼쪽에서 세번째가 김익권, 네번째가 대만 육군지휘참모대학 교장인 노복령 중장. 1969. 6.
. 진해 골프장에서. 왼쪽부터 두번째가 김익권, 세번째가 노복령 교장. 1969. 6. 19.
. 워커힐에서의 만찬. 왼쪽에서 첫번째가 노복령 교장, 두번째가 김익권. 1969. 6.

176

178

180

176. 육군대학 김익권 총장과 일행이 대만 육군지휘참모대학을 방문했다. 공항에서 포옹하며 인사하는 노복령 교장과 김익권. 1969. 11.
177. 대만 육군지휘참모대학 교장실에서, 노복령 교장으로부터 환영선물을 받는 김익권. 1969. 11.
178. 대만 육군지휘참모대학 교사(校舍)를 견학하며. 오른쪽에서 두번째부터 노복령 교장, 김익권. 문 위에는 대만의 초대 총통인 장제스(蔣介石)의 사진이 걸려 있다. 1969.
179. 저녁 만찬에서. 오른쪽 두번째부터 김익권, 장제스 총통의 아들 장웨이궈(蔣緯國) 장군. 1969. 11.
180. 대만에서 귀국한 뒤, 중국의 역사에 관해 강의하는 김익권. 1969. 12. 6.

여러 군기관을 예방하며

181

182

181. 2군사령관 한신(韓信) 중장을 예방하여. 왼쪽부터 김익권, 한신 중장, 참모장. 1969. 4. 1.
182. 경북 영천의 육군제삼사관학교(陸軍第三士官學校) 졸업식에 참석하여.
맨 오른쪽이 김익권. 1970. 1. 20.

183

183. 진해의 813함정 갑판에서. 가운ㄷ
김익권. 진해에는 해군통제부(海軍統制
해군대학(海軍大學),
해군사관학교(海軍士官學校)가 있어서,
육군대학은 여러 해군 기관과 교유가 잦
1967–1971.
184. 816함정을 방문한 김익권.
1967–1971.
185. 예복을 차려입고 참석한 해군 파ㅌ
왼쪽에서 두번째가 김익권. 1967–197
186. 해군 사령부를 방문하여. 두번째
들어오는 이가 김익권. 1967–1971.

185

186

내빈들의 육군대학 방문

187

189

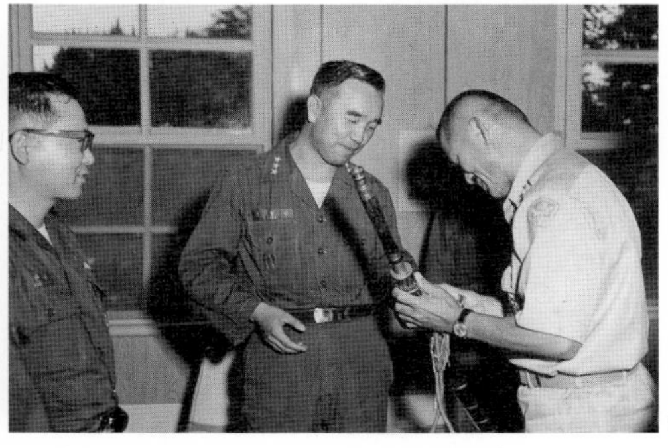

191

. 타 부대 군인의 육대 방문을 환영하며. 오른쪽이 김익권. 1969. 10. 21.

. 시찰을 안내하는 김익권(왼쪽에서 두번째). 위와 같은 날.

. 육군사관학교 생도들의 육군대학 방문. 왼쪽이 김익권. 1967-1971.

. 육군대학 기념패를 증정하는 김익권. 1967-1971.

. 육군대학을 방문하여 김익권에게 보검을 선사하는 2군사령관 채명신 중장(왼쪽에서 두번째). 1969. 6. 26.

192

193

194

192. 육군대학을 방문한 여군처장
김순덕(金順德) 대령과 일행.
뒷줄 가운데가 김익권. 1970. 4. 9.
193. 아들 형신이 다니던 중앙중학교 교사
학생들이 육군대학을 방문하여.
뒷줄 왼쪽에서 네번째가 김익권,
그 앞이 형신. 1969. 7. 25.
194. 주한 대만대사 부부의 내방. 오른쪽부
김익권 내외, 대만대사 내외. 1960년대말

196

. 연병혁 증평국민학교 교장 가족의 방문. 앞줄 왼쪽부터 아내 한정희, 아들 형신, 연병혁의 아들 연경희, 연병혁 교장의 부인,
왼쪽부터 교수단장 오창보 대령의 부인, 연병혁 교장. 1960년대말.
. 경기고등학교 교장으로 재직하고 있던, 대학 친구 서장석(徐章錫, 오른쪽)의 육군대학 총장 관사 방문. 서장석은 후에
대학 학장을 역임했다. 1960년대말.

육군대학 쉼터, 도불장에서

197

197. 도불장에서 이인재(李麟載) 장군(오른쪽)과 함께. 도불장은 1959년 9월 당시 육대 총장 이종찬 중장이 도불산 부처골에 건립한 별장이다.
이곳에서 김익권은 학생, 교관들과 함께 친목과 단합을 위해 어울렸다. 1960년대말.

199

201

. 도불장 파티에서 샴페인을 터뜨리는
권. 뒤의 사진은 백두산 천지 전경으로,
을 염원하며 김익권이 걸어 놓은 것이다.
0년대말.
. 김익권의 생일 만찬. 오른쪽부터
권, 이종찬 장군, 이동식(李東植)
단장. 김익권의 전임 육군대학 총장이던
찬 장군은 전역한 후에도 오랫동안
에 살았다. 1968. 3. 14.
. 신임 교관 환영파티에서. 오른쪽부터
단장 변일현 대령 내외, 김익권 내외.
9. 7. 1.
. 인근 부대의 해군 장교들을 초대한
장 파티. 테이블 우측 오른쪽에서
째가 김익권. 1967–1971.
. 김재규 장군의 내방. 왼쪽에서
째부터 김재규, 김익권. 김재규 장군은
보안사령관이었다. 1967–1971.

202

육군대학 구내다방에서 열린 파티

203

204

203. 아내와 함께 춤을 추는 김익권(오른쪽에서 두번째 커플). 크리스마스 이브에는 구내다방에서 댄스 파티가 열리기도 했다. 1967-1968년말.

204. 구내다방에서 열린 파티. 왼쪽부터 김익권, 이동식 교수단장. 1967-1968년말.

육군대학 내 여러 행사들

205

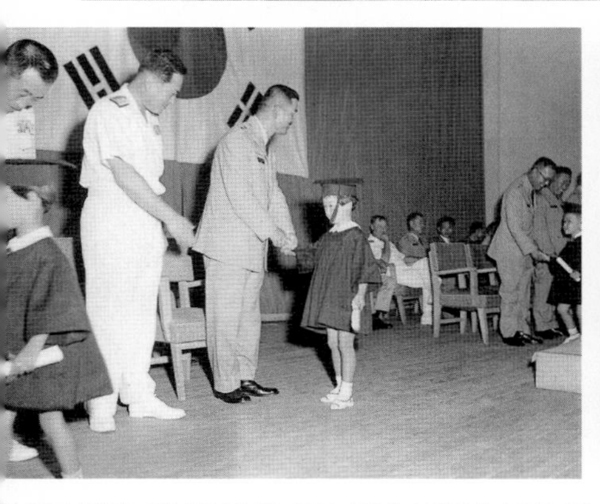

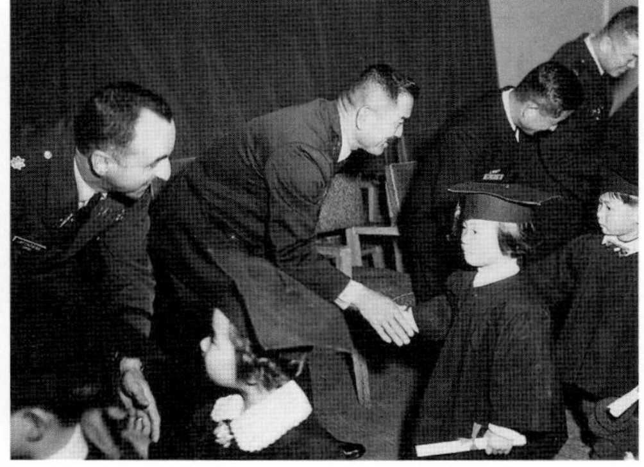

207

5. 육군대학의 모범가족 시상식. 앞줄 가운데가 김익권. 1970. 10.
5. 육군대학 부속 유치원의 졸업식. 왼쪽에서 세번째가 김익권. 1969. 9. 4.
7. 육대 부속 유치원 졸업식. 왼쪽에서 두번째가 김익권. 1970. 1. 17.

208

209

210

육군대학 개교 이십 주년 기념행사. 1971. 10.

208. 김익권은 기념행사에서 재래식무기를 국내에서 생산할 것을 촉구하며, 솔선수범하여 '애국함'에 자신의 물품을 기부하고 다른 이들도 기부운동에 동참할 것을 권유했다. 이 기부운동은 후에 방위성금 모금운동의 불씨가 되었다.

209. 육대 발전에 이바지한 전임 총장 이종찬 장군(오른쪽)에게 감사장을 수여하는 김익권.

210. 애국함에 기부하는 사람들.

전역을 앞두고 모인 오성동기회

211

212

오성동기회(五星同期會) 모임에서. 육사 5기생 모임인 오성동기회에서, 전역하는 김익권, 김정덕(金鼎德), 어태우(魚台遇) 장군을 위해 외교클럽에서 연회를 열었다. 김익권은 1972년 2월 1일에 정년 퇴역했다. 1972. 1. 21.

211. 기념사가 새겨진 시계를 선물 받고. 왼쪽에 시계를 들고 서 있는 이가 김익권.
212. 정년 퇴역하는 소감을 밝히는 김익권.

육대 총장 시절—가족과 함께

213

214

213. 육군대학 총장 시절. 앞줄 왼쪽부터 아내 한정희, 아들 형신, 김익권, 뒷줄 왼쪽부터 셋째딸 형의, 둘째딸 형인, 큰딸 형열. 당시 가족들은 후암동에 살고 있었다. 큰딸은 이화여자대학교 교육학과, 둘째딸은 고려대학교 원예학과, 셋째딸은 상명여자사범대학부속중학교(祥明女子師範大學附屬中學校), 아들은 경기국민학교를 다녔다. 1970.

214. 아내 춘담(春淡) 한정희. 1968.

215

216

217

215. 육군대학 총장 관사에서 아내와 함께. 1960년대말.
216. 육군대학 정구장에서 둘째딸 형인(왼쪽)과 함께. 1967.
217. 정구를 치는 김익권. 1967.

218

219

220

221

218. 불국사 다보탑 앞에서. 아내와 함께한 경주 여행에서. 1970. 4. 3.

219. 고려대학교 교정에서. 아들 형신의 중앙중학교 입학식을 마치고 고려대학교 교정에 들렀다. 왼쪽부터 둘째딸 형인, 아들 형신, 김익권. 1969. 3. 3.

220. 진해를 방문한 친지들과 함께 진해 부두에서. 오른쪽부터 김익권, 둘째형 김재권, 그 앞이 둘째형수 윤묘순. 1970. 8. 4.

221. 총장 관사 앞에서. 앞줄 왼쪽부터 김재권의 셋째딸 형국, 김재권의 큰딸 형련의 아들, 형련, 뒷줄 왼쪽부터 김익권, 형련의 남편. 1970.

222

. 김포공항에서 사회사업가 마거릿 래미(Margaret
ıey)와 함께. 왼쪽부터 김익권, 마거릿 래미, 아내 한정희,
부관 유재구 중위. 1960년대말.

. 재진해 경복동창회 모임에서. 오른쪽에서 세번째가
권. 1967–1971.

. 유학성 장군 가족과 함께 김포공항에서. 유학성 장군은
남 전쟁에 참전하여 비둘기부대장을 지내고 귀국했다.
쪽에서 세번째가 김익권, 다섯번째가 백석주, 왼쪽에
을 걸고 있는 이가 유학성. 1960년대말–1970년대초.

223

224

전역 이후

1972년 4월, 김익권은 현역 군인 자녀를 교육하는
서울 서빙고동의 중경고등학교(中京高等學校) 교장으로
부임했다. 군인 교육에 많은 생애를 바쳤던 김익권은 청소년을
가르치며 교육자의 길을 이어 가, 손수 고전반과 불교반을 지도하고
학생들과 함께 어울리며, 오 년간 보람찬 교직생활을 한다.
1976년 가을, 일곱 해 동안 살던 장위동에서 고향인 논현동으로
새 집을 지어 이사했다. 1977년 둘째딸 형인이 미국 유학길에
오르고, 아들 형신은 군복무를 위해 입대했다.
1978년 시곡빌딩을, 1980년에는 그 바로 옆 관세청 사거리
모퉁이에 학산빌딩을 준공했다. 1984년에 논현동 땅 일부를 팔아
경기도 광주군 목리(木里) 약 일만팔천 평의 땅에
시곡농장(柿谷農場)을 마련하여 자급자족을 위한 농사를 지었다.
1985년에는 논현동에서 개포동으로 이사하면서 정원의 석불을
농장으로 이운(移運)해 시곡도장(柿谷道場)을 조성했다.

225

225. 아내와 함께 중경고등학교(中京高等學校) 교장실에서. 1973.

226

228

226. 중경고등학교 시화전을 관람하며. 1972.

227. 김익권이 교장으로 있을 때, 중경고등학교를 다닌 셋째딸 형의. 1973.

228. 서울특별시 중등학교장 연수세미나에서. 앞줄 오른쪽에서 두번째가 김익권. 1972-1976.

경주 수학여행

230

231

232

수학여행. 1972–1976.

. 불국사에서 학생들과 함께.
. 토함산 석굴암 입구에서
들과 함께. 맨 왼쪽이 김익권.
. 학생들과 함께. 오른쪽 뒤쪽의
입은 이가 김익권.
. 학생들과 함께.

중경고 졸업생들과 함께

233

234

235

233. 논현동 집에 찾아온 중경고 졸업생들과 함께.
뒷줄 왼쪽에서 두번째가 김익권. 1970년대
234. 앞줄 가운데가 김익권. 위와 같은 날
235. 졸업생들과 함께한 가을 산행. 1970년대말.

238

. 중경고등학교 6회 졸업 이십 주년 기념 모임에서 졸업생들과 함께. 앞줄 오른쪽에서 다섯번째가 김익권. 1997.

. 학생들에게 축하 인사를 하는 김익권. 위와 같은 날.

. 아내 한정희와 환담하는 김익권. 위와 같은 날.

논현동 집에서

239

239. 개발되기 전 논현동에서. 뒤에 보이는 감나무는 아버지 김용대가 무척 아끼던 나무로, 김익권은 나중에 저 가운데 한 그루를 시곡농장(柿谷農場)에 옮겨 심었다. 1970년대 중반 겨울.

240

242

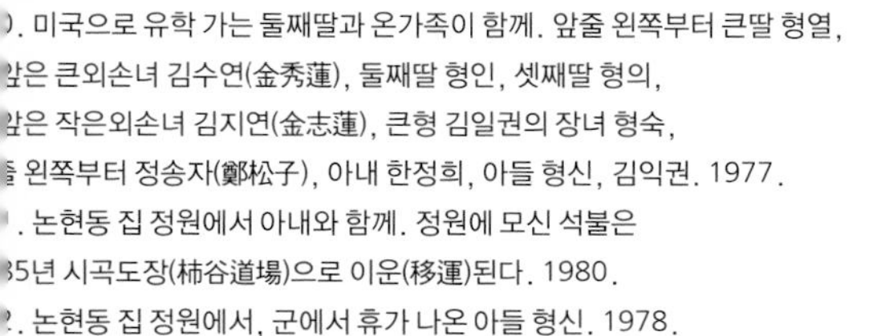

). 미국으로 유학 가는 둘째딸과 온가족이 함께. 앞줄 왼쪽부터 큰딸 형열,
앞은 큰외손녀 김수연(金秀蓮), 둘째딸 형인, 셋째딸 형의,
앞은 작은외손녀 김지연(金志蓮), 큰형 김일권의 장녀 형숙,
들 왼쪽부터 정송자(鄭松子), 아내 한정희, 아들 형신, 김익권. 1977.
. 논현동 집 정원에서 아내와 함께. 정원에 모신 석불은
35년 시곡도장(柿谷道場)으로 이운(移運)된다. 1980.
2. 논현동 집 정원에서, 군에서 휴가 나온 아들 형신. 1978.

243

244

246

누나, 조카들과 함께한 파티. 1980년대초.

243. 작은누나 김언례의 장녀 김경자(金京子) 내외가 미국에서 찾아왔을 때 정원에서 파티를 열었다. 서 있는 이 왼쪽에서 두번째부터 큰누나 김언렴의 장남 이혁수의 아내, 김언렴의 사녀 이옥수(李玉秀), 작은누나 김언례의 사녀 김도경, 작은누나 김언례, 둘째형 김재권의 차남 형무, 이혁수, 앉아 있는 이 왼쪽부터 큰형 김일권의 사남 형창, 큰누나 김언렴, 김경자 내외, 김재권의 큰아들 형문, 김일권의 큰아들 형준.

244. 왼쪽부터 형문, 형준, 형무.

245. 조카 김경자 내외와 함께.

246. 왼쪽부터 김일권의 셋째아들 형욱의 아내, 형무의 아내, 작은누나 김언례.

248

. 오십칠 세의 김익권. 당시 그는 중경고등학교에서 은퇴하고 논현동에서 살았다. 1979.
. 큰누나 김언렴의 장남 이혁수와 함께. 1979.

시곡빌딩과 학산빌딩

249

251

252

249. 관세청 사거리에 지어진 시곡빌딩. 1978.
250. 시곡빌딩 준공식에서 하객들과 테이프 커팅을 하며. 왼쪽부터 백석주 장군의 부인 이갑임(李甲任), 박병권(朴炳權) 전 국방부장관, 김익권, 유양수 전 동력자원부 장관. 1978. 5. 20.
251. 학산빌딩. 왼쪽에 보이는 논현동 자택을 짓던 1976년에는, 관세청 사거리에서 강남구청 사거리까지 길가에 아무 건물도 없었다고 한다. 1980.
252. 학산빌딩과 시곡빌딩. 1980.

253

253. 법화산(法華山) 정상에서. 농장 자리를 찾으러 지도를 보다가,
용인에 있는 법화산이 육이오 때 임시 전투본부를 차렸던 산이라는 것을 알고
추억을 떠올리며 산에 올랐다. 1984.

254. 경기도 광주군 목리의 시곡농장으로 들어가는 길. 1980년대 중반.

255. 김익권은 시곡농장에 집을 짓고, '시곡이 속세를 떠나 사는 외딴곳의 거처' 라는 뜻으로 시곡유거(枾谷幽居)라 이름 붙였다. 1980년대 중반.

256. 가을의 시곡농장. 오른쪽에 감이 열린 감나무가 보인다. 1980년대 중반.

257. 시곡농장 마당에서. 뒤 왼쪽에 보이는 비단향나무는 육대 총장 관사에 심었다가 옮겨 온 것이다. 1980년대 중반.

258

260

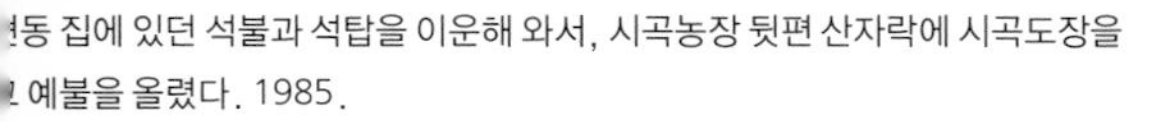

현동 집에 있던 석불과 석탑을 이운해 와서, 시곡농장 뒷편 산자락에 시곡도장을
예불을 올렸다. 1985.

. 행산(行山) 스님, 영산법화사(靈山法華寺) 신도, 친지들과 함께 예불을 올리며.
. 예불을 마친 뒤. 오른쪽부터 김익권, 행산 스님.
. 감실(龕室)에 모셔진 석불. 이 석불은 석굴암 본존불을 팔분의 일 크기로
하여 만든 것으로, 1976년 제2회 한국석조전시회에 출품되기도 했다.
논현동 집에 모시고 있다가, 1985년 농장으로 옮겨 왔다.

261

262

아내 친구들의 농장 방문. 1980년대 후반.

261. 시곡도장에서. 뒷줄 오른쪽이 아내 한정희.

262. 시곡농장 뒷산에서 나물을 캐는 아내와 친구들.

263. 시곡도장에서 시곡유거로 내려오는 아내와 친구들.

265

267

시곡도장 앞 연못. 1993. 8. 10.
시곡농장 한편에 마련한 사슴농장에서 먹이를 주고 있는 김익권. 1993.
시곡농장의 밭을 돌보고 있는 김익권. 1980년대말.
연못가에서. 김익권은 이곳에서 가끔 독서를 즐겼다. 1980년대말.

268

270

268. 농장을 방문한 친구들과 함께. 앞줄 왼쪽부터 김익권, 한 사람 건너 유양수 장관, 뒤는 박재곤 대령. 1988. 8. 20.
269. 시곡유거 앞에서. 오른쪽부터 유양수 장관, 아내 한정희. 위와 같은 날.
270. 불국사 석가탑을 팔분의 일 크기로 축소해 만든 석탑 앞에 왼쪽에서 세번째부터 유양수 장관, 김익권. 위와 같은 날.
271. 시곡유거에서. 왼쪽부터 김익권, 유양수 장관. '영웅천추(英雄千秋)'는 37사단장 시절 충북 예비군 동원 훈련 참석한 한 병사의 아버지가 써 준 글씨다. 위와 같은 날.

274

. 농장을 방문한 육사 5기 동기들. 왼쪽부터 배동걸(裵東傑) 대령, 박재곤 대령. 1988년경.
. 농장을 방문한 바터 부부와 함께. 왼쪽이 김익권. 1994.
. 농장을 방문한 최재명(催載明) 대령(왼쪽)과 박재곤 대령. 이들은 노년에 김익권과 더욱 가깝게 지내,
매년 시곡농장에 놀러 왔다. 1980년대말.

275. 이인재 장군 부부가 방문했을 때 시곡농장의 만개한 매화나무 앞에서. 왼쪽부터 김익권 내외, 이인재 장군. 1996. 4. 28.

276. 시곡농장의 시곡 김익권. 위와 같은 날.

277. 아내 한정희. 위와 같은 날.

278

. 눈 쌓인 시곡농장에서 강아지와 함께 선 아내 한정희. 1998. 1. 8.
. 휠체어를 탄 아내. 학고을에서 아버지 김용대가 기르던 감나무 한 그루를
농장에 옮겨 심었고, 김익권은 감나무 아래서 책을 읽으며 쉬는 것을
다. 아내는 1998년에 뇌졸중에 걸려 휠체어에서 지내게 되었다. 1999.

279

280

281

김익권과 가족들은 매년 부처님 오신 날에 시곡도장에서 예불을 드렸다. 2006. 4. 8. (음력)

280. 친지들 앞에서 예불드리는 김익권.
281. 예불에 참석한 가족과 친지. 앞줄 왼쪽부터 셋째사위 유공식(劉公植)과
그의 아들 유성훈(劉城勳), 셋째딸 형의, 팔촌동생 진숙, 안기복(安基福),
뒷줄 왼쪽부터 큰사위 김경진(金慶鎭), 이순자, 둘째딸 형인, 큰딸 형열, 아들 형신,
이동길(李東吉), 한 사람 건너 운전기사 박연병(朴演柄).

282

283

284

. 김익권이 묻힐 곳을 정하여
경비(法華經碑)를 세우고, 가족들과 함께.
앉은 이들 왼쪽부터 셋째딸 형의,
한정희, 뒷줄 왼쪽부터 셋째사위 유공식,
주 유성훈, 아들 형신, 둘째딸 형인, 김익권,
형열, 큰사위 김경진, 팔촌동생 진숙.
6. 4. 8. (음력)
. 함께 일하던 사람들과 함께. 뒷줄 왼쪽부터
의 간병인 이경자(李京子), 김순화(金順和),
복, 박연병, 팔촌동생 진숙, 김익권.
앉은 이는 아내 한정희. 위와 같은 날.
. 조롱박을 재배하는 비닐하우스 안에서
일을 하는 김익권. 김익권은 별세하기
지도 건강히 지내며 손수 농사를 지었다.
6년 여름.

가족과 함께한 노년

은퇴 후 김익권은 시간적 여유가 생겨 매년 가족과 함께
여행을 다녔다. 여름에는 연포, 해운대, 홍도,
변산반도, 남해, 화진포, 제주도 등의 바다를 찾았고,
봄과 가을에는 양평이나 용문, 여주, 산정호수 등지를 여행했다.
또 대전 엑스포나 성철 스님의 사리 참배 같은 특별한 행사에도
가족들과 함께했다. 1982년 5월 28일 아들 형신이 결혼하여,
1983년 1월 17일 큰손자 성규(聖圭)가, 1990년 8월 8일 작은손자
현규(賢圭)가 태어났다. 1990년 12월 15일 둘째딸 형인이
박사학위를 받고, 김익권의 칠순에 맞춰 미국에서 귀국했다.
1994년 3월 1일에는 셋째딸 형의가 출가하여
12월 12일 외손자 유성훈(劉城勳)이 태어났다.
1998년 4월 28일에 팔순의 아내가 뇌졸중으로 발병하자,
김익권은 팔 년 동안 정성껏 돌보았다.

285

. 덕수궁(德壽宮)에서 아내와 함께. 1978년 봄.

286

286. 오대산(五臺山) 월정사(月精寺) 적멸보궁(寂滅寶宮)에서. 김익권은 군에 있을 때부터 학창시절의 추억이 담긴 오대산을 종종 찾았다. 1980년대초.

287. 오대산 월정사에서. 큰형 김일권의 삼남 형욱과 함께. 위와 같은 날.

288. 태안 연포해수욕장에서 외손녀와 함께. 왼쪽은 김지연(큰딸 형열의 차녀), 오른쪽은 김수연(큰딸 형열의 장녀). 1982. 8.

291

. 홍도에서 아내와 함께. 1980년대초.

. 여주 신륵사(神勒寺)에서. 왼쪽부터 둘째딸 형인, 아내 한정희. 미국 유학 중인 둘째딸이 잠시 귀국했을 때 여주로 나들이 가서 신륵사에 들렀다. 1983년 여름.

. 여주 세종대왕릉에서. 왼쪽부터 셋째딸 형의, 아내 한정희, 김익권, 둘째딸 형인, 그 앞은 작은외손녀 김지연. 같은 날.

292

293

292–293. 부산에서 아내와 함께. 일제에 의해 강제 징병당해 1943년 1월 20일 출정한 학도병의 모임인 '1.20 동지회' 에서 광복절을 맞아 부부 동반으로 부산 여행을 떠났다. 1988. 8. 15.

294

295

294. 해운대에서. 유학생활을 마치고 귀국한 둘째딸을 환영하는 뜻으로 함께 해운대로 여행갔다.
왼쪽부터 작은손자 현규(賢圭, 아들 형신의 차남)를 안고 있는 며느리 현기옥(玄基玉),
큰외손녀 김수연, 셋째딸 형의, 그 앞은 큰손자 성규(聖圭, 아들 형신의 장남), 작은외손녀 김지연,
큰딸 형열, 둘째딸 형인, 큰사위 김경진, 아들 형신. 1991년 여름.
295. 해운대에서 아내와 함께. 위와 같은 날.

296

298

296. 아내의 친척들과 함께 제주도에서. 왼쪽부터 아내 한정희, 김익권, 처형 한자희(韓慈姬), 이종사촌처제 홍점식. 1989.
297. 제주도 여행. 왼쪽부터 아내 한정희, 둘째딸 형인. 1992. 3. 8.
298. 남해에서. 앞줄 왼쪽부터 큰외손녀 김수연, 작은외손녀 김지연, 큰딸 형열, 셋째딸 형의, 아내 한정희,
뒷줄 왼쪽부터 큰사위 김경진, 둘째딸 형인. 1993. 8.
299. 진주 촉석루 의기사(義妓祠) 앞에서. 왼쪽부터 큰사위 김경진, 큰딸 형열, 셋째딸 형의, 작은외손녀 김지연,
큰외손녀 김수연, 아내 한정희, 김익권. 위와 같은 날.

300

302

. 용문사(龍門寺)에서. 왼쪽부터 큰딸 형열, 아들 형신,
한정희, 둘째딸 형인, 김익권, 그 앞은 큰손자 성규, 큰사위
진, 셋째딸 형의, 셋째사위 유공식. 1990년대초.
. 아들네와 같이 간 대전 엑스포 행사장에서. 1993.
. 합천 해인사에서의 아내 한정희. 김익권은 아내와 큰딸 내외,
딸과 함께 성철(性徹) 스님 사리를 참배했다. 1993. 12. 1.
. 화진포 해수욕장에서 아내와 함께. 가족 모두가 함께했던
행은, 김익권의 아내가 발병하기 전 마지막 여행이 되었다.
김익권이 칠십육 세, 아내가 칠십구세였다. 1997.

303

김익권 부부의 기념일과 자녀들의 혼인

304

304. 큰딸 형열의 결혼식에서. 앞줄 오른쪽부터 아들 형신, 셋째딸 형의, 아내 한정희, 큰딸 형열, 큰사위 김경진, 뒷줄 오른쪽부터 둘째딸 형인, 김익권. 1970. 11. 7.

306

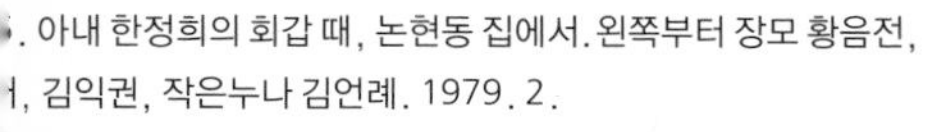

. 아내 한정희의 회갑 때, 논현동 집에서. 왼쪽부터 장모 황음전,
, 김익권, 작은누나 김언례. 1979. 2.
. 동학사(東鶴寺)에서 아내와 함께. 아내의 회갑 때
산을 들러 동학사, 유성 온천으로 여행을 갔다. 1979. 2.
. 공주 무령왕릉(武寧王陵)에서. 김익권의 회갑 때,
내외와 백제의 옛터를 돌며 여행했다. 왼쪽부터 아내 한정희,
권, 큰딸 형열, 큰사위 김경진. 1982. 3.
. 논산 관촉사(灌燭寺) 은진미륵(恩津彌勒) 앞에서. 왼쪽부터
한정희, 김익권, 큰딸 형열. 1982. 3.

308

309

310

309. 아들의 결혼식 폐백. 왼쪽부터 아내 한정희, 아들 형신, 며느리 현기옥, 김익권. 1985. 5. 28.
310. 셋째딸의 약혼식. 왼쪽부터 김익권, 셋째딸 형의, 셋째사위가 될 유공식. 1993. 10. 3.

311

312

311. 칠순을 맞은 아내에게 반지를 끼워 주는 김익권. 1988. 1. 10.(음력)
312. 아내의 팔순 때, 개포동 자택에서. 1998. 2. 8.

313

314

313. 리버사이드 호텔에서 열린 김익권의 칠순 기념 연회. 앞줄 왼쪽부터 큰손자 성규를 안은 김익권, 작은손자 현규를 안은 아내 한정희, 뒷줄 왼쪽부터 아들 형신, 둘째딸 형인, 며느리 현기옥, 셋째딸 형의, 큰딸 형열, 큰사위 김경진. 1991. 3. 30.

314. 칠순 기념 연회에서 하객을 맞으며. 왼쪽에 두루마기 입은 이는 김익권과 가까웠던 도인 신응호(申應浩). 위와 같은 날.

315

316

315. 아내의 여든한번째 생일에 축하주를 따르며. 왼쪽부터 큰딸 형열, 아내 한정희, 김익권.
1999. 2. 25.
316. 병든 아내를 돌보는 김익권. 아내 한정희는 1998년 4월 28일에 뇌졸중에 걸렸고,
김익권은 별세하기 전까지 팔 년 동안 정성으로 아내를 간병했다. 1999.

김익권의 손주들

317

317. 작은손자 현규의 백일에. 1990. 12.

318. 큰손자 성규의 백일에. 1986. 4.

322

9. 논현동 집 정원에서의 외손녀들.
쪽부터 작은외손녀 김지연, 큰외손녀 김수연. 1977.
0. 손주들과 함께한 아내 한정희. 왼쪽부터 작은외손녀 김지연,
외손녀 김수연, 조카 형준의 아들 학규(學圭). 1977.
1. 어린이대공원에서 큰손자 성규를 안고 있는 아내. 1989. 5.
2. 육이오 사십 주년 행진에 참석하기 위해 군복을 입은 김익권과
손자 성규(왼쪽), 작은손자 현규(오른쪽). 1990. 6. 25.

323

323. 개포동 집에서의 아들 가족. 왼쪽부터 며느리 현기옥, 큰손자 성규, 아들 형신. 1987.

324. 큰손자 성규. 아들 형신의 집에서. 1989. 3.

325. 생일을 맞아 손자들과 함께한 아내. 왼쪽은 큰손자 성규, 오른쪽은 작은손자 현규. 1992. 1. 10. (음력)

326. 피아노를 치는 두 손자. 왼쪽부터 성규, 현규. 1989. 7.

325

326

328

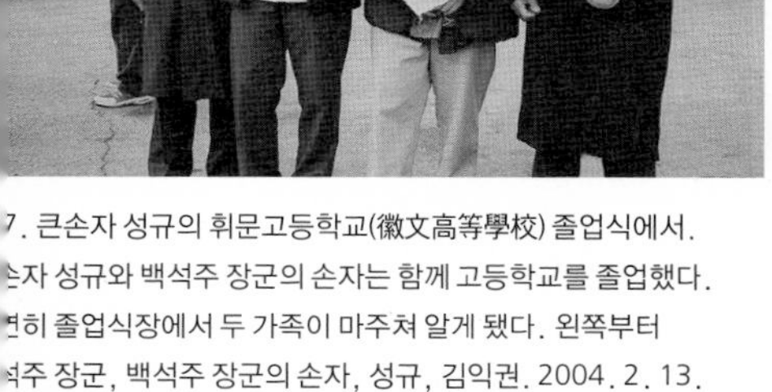

7. 큰손자 성규의 휘문고등학교(徽文高等學校) 졸업식에서.
손자 성규와 백석주 장군의 손자는 함께 고등학교를 졸업했다.
연히 졸업식장에서 두 가족이 마주쳐 알게 됐다. 왼쪽부터
석주 장군, 백석주 장군의 손자, 성규, 김익권. 2004. 2. 13.
3. 유성훈(셋째딸의 아들)의 돌잔치 때. 왼쪽부터 셋째딸 형의,
성훈, 셋째사위 유공식. 1995. 12. 12.
9. 셋째딸 형의와 외손자 유성훈. 1999. 12. 25.

329

예를 갖추어 선조들을 모시다

330

331

김녕김씨 학동종친회 공원묘원. 김익권의 집안이 대대로 살아오던 경기도 광주군 언주면 일대가 서울시 강남구로 편입되자, 흩어져 있던 산소들을 옮겨 모아 경기도 이천에 김녕김씨 학동종친회 공원묘원을 조성했다. 김익권의 팔대조부터 모시고 제각(祭閣) 모선재(慕先齋)를 지어 설날, 한식, 추석, 시제에 후손들이 모여 합동으로 참배한다.

330. 김녕김씨 학동종친회 공원묘원 입구 표지판. 2010.

331. 김녕김씨 조상들을 모신 공원묘원 전경. 2010.

332

334

2. 모선재(慕先齋). 김녕김씨 학동파(鶴洞派)의 시조인 십육세손 김수명(金壽明)과 직계비속(直系卑屬)들을
향하기 위한 재실이다. 1993.

3. 김익권의 조부인 강화 주문도 수군 첨절제사 김봉성의 묘. 1993.

4. 김익권의 부친인 선정릉 참봉 김용대의 묘. 1993.

335

336

추석을 맞아 성묘하며. 1993. 9. 30.

335. 조부 김봉성의 묘에서. 왼쪽부터 며느리 현기옥, 작은손자 현규, 아내 한정희, 큰손자 성규, 아들 형신.
336. 공원묘원에서. 둘째형 김재권의 장남 형문(뒷줄 맨 왼쪽), 차남 형무(뒷줄 오른쪽에서 두번째)의 가족들.

337

338

339

7. 강화에 있는 방계조상 산소에서 시제를
리는 친지들. 1980년대초.
8. 시제가 끝난 뒤 담소를 나누며. 오른쪽에
자 쓴 이가 김익권. 위와 같은 날.
9. 김녕김씨 서울 · 인천 · 경기 종친회에서
영삼(金泳三) 당시 통일민주당 총재와
수하는 김익권. 1988.

여행과 순례

노년의 김익권은 여행을 즐겼다. 대부분은 아내와 동반했고,
때로는 다른 사람들과도 어울려 다녔다.
1986년 5월부터 다음달까지, 김익권은 재향군인회 주관으로
육이오 참전 장군들의 구미 참전국 순방 부부동반 여행에 동참하여,
영국, 프랑스, 네덜란드, 이탈리아, 캐나다, 미국 등지를
이십팔 일에 걸쳐 다녀왔다.
미국에서는 둘째딸과 함께 투산에 있는 미국 지휘참모대학
동기생인 드완(R. Dwan) 대령을 만났고, 뉴저지에 들러
작은누나 김언례를 만났으며, 조카 형애가 사는 포틀랜드를
방문하였다. 1993년 1월에는 불교방송국이 주관하고
일연(一衍) 스님이 이끄는 인도 성지순례를 십구 일 동안 하였는데,
이는 시곡 부부의 결혼 오십 주년을 기념하는 여행이었으며,
아내는 불탄지(佛誕地) 룸비니 동산에서 칠십사 세 생일을 맞았다.
1993년 8월에는 정명섭(丁明燮) 소장의 인솔하에
CESP우주초염력연구소 회원들과 함께 중국 천진, 북경을 거쳐
백두산 여행을 하며 천제(天祭)를 지냈다.

340

340. 영국 런던의 템즈 강가에서 아내와 함께. 뒤에 보이는 것은 런던브리지. 1986. 6. 1–4.

341

342

341. 프랑스 파리의 개선문 앞에서. 무명용사 제단에 헌화하는 김익권 내외와 일행. 오른쪽 세번째부터 김익권, 아내 한정희. 1986. 6. 7-8.
342. 프랑스 파리의 노트르담 사원 앞에서. 1986. 6. 7-8.
343. 네덜란드 암스테르담의 어느 부두에서. 1986. 6. 5.

345

4. 웨스트포인트의 미국 육군사관학교에서. 왼쪽부터 아내,
째딸 형인, 김익권. 뒤에 보이는 탑은 남북전쟁 기념탑.
86. 6. 14-16.
5. 뉴저지에 사는 조카 김경자를 방문하여. 앞줄 왼쪽부터
내 한정희, 작은누나 김언례, 뒷줄 왼쪽부터 김언례의 막내딸
춘희(金春姬), 김춘희의 아들을 안고 있는 김경자의 딸,
째딸 형인. 1986. 6. 17-19.
6. 김익권 내외는 미국 여행 중에 유학 시절 동기생이었고,
한미군으로 근무하던 때부터 친했던 드완(R. Dwan) 대령을
문했다. 당시 뉴멕시코대학교(University of New Mexico)에서
학 중이던 둘째딸도 투산으로 함께했다. 왼쪽부터 김익권,
완 부부, 아내 한정희, 둘째딸 형인. 1986. 6. 14.

346

아내의 동남아, 하와이 여행

347

348

347. 아내가 친구들과 함께 간 하와이 여행에서. 1980년대말.
348. 태국에서. 아내가 친구들과 함께 간 동남아 여행. 1980년대말.

349

50

351

349. 일본으로 출발하기 전에 개포동 집 앞에서.
왼쪽부터 처의 외사촌올케 문도심, 큰딸 형열, 아내 한정희, 김익권, 셋째딸 형의. 1990. 7. 4.
350. 일본 교토의 긴카쿠지(金閣寺)에서 아내와 함께. 1990.
351. 일본 하코네 온천의 폭포 앞에 선 아내. 1990.

인도 성지순례

352

354

356

김익권 부부는 네팔을 경유해 인도로 향했다. 불교방송국에서 주관하고 일연(一衍) 스님이 인도하며 열아흐레 동안 불교의 성지를 순례했다. 1993. 1.

352. 네팔에서. 앞줄 오른쪽에서 두번째부터 일연 스님, 한 사람 건너 아내 한정희, 그 뒤가 김익권.
353. 불탄지(佛誕地) 룸비니 동산으로 가는 길에서의 아내. 룸비니 동산은 석가모니가 태어난 곳으로, 불교 사성지(四聖地) 중 하나이다.
354. 룸비니에서 맞은 아내의 일흔세번째 생일. 왼쪽부터 김익권 일연 스님, 아내 한정희.
355. 라지기르의 날란다 대학 유적지에서. 인도 동부 비하르주 라지기르는 석가모니가 설법했던 포교(布敎)의 땅으로 불린다.
356. 바이샬리의 스투파 앞에서 일연 스님과 함께. 석가모니 사후 여덟 개 사리 중 하나로 세운 바이샬리 스투파는 인도의 화장묘(火葬墓)다.

359

7. 석가모니가 법화경(法華經)을 설하던
축산(靈鷲山)에서 일연 스님의 지도로
불드리는 일행.
58. 영축산에서 아내와 함께 예불드리며.
59. 부다가야의 대보리사에서.
교 사성지 가운데 하나인 부다가야는
가가 깨달음을 얻은 곳이다.
50. 타지마할 궁에서 일행과 함께.
줄 왼쪽에서 다섯번째가 아내 한정희,
뒤가 김익권.

360

민족의 혼을 찾아 떠난 백두산 여행

361

362

361. 심양(瀋陽) 공항에서 일행과 함께. 김익권은 정명섭(丁明燮) 소장의 인솔하에 CESP우주초염력연구소 회원들과 함께 중국 천진, 북경을 거쳐 백두산(白頭山)을 여행했다. 왼쪽에서 세번째부터 김익권, 정명섭 소장. 1993. 8.

362. 이화원(頤和園)에서. 이화원은 청(淸)나라 때 만들어진 북경 근교의 정원으로, 유네스코 세계문화유산으로 지정되어 있다. 1993. 8.

363

3. 김익권이 찍은 백두산 천지(天池). 1993. 8. 29.
4. 백두산 정상, 천지에 오른 김익권. 위와 같은 날.
5. 백두산 천지에서 천제(天祭)를 지내며. 오른쪽은 제문을
독하는 정명섭 소장. 위와 같은 날.

364

365

한라산 등반

366

367

366. CESP우주초염력연구소 회원들과 함께 간 한라산(漢拏山) 여행. 이때는 악천후로 한라산에 오르지 못했다. 왼쪽이 김익권. 1993. 10. 31.

367. 한라산 정상 백록담(白鹿潭)에서 정명섭 소장(왼쪽)과 함께. 1994. 5. 29.

368

368. 한라산 백록담에서. 1994. 5. 29.

시곡 김익권을 그리며

건강히 노년을 보내던 김익권은, 2006년 9월 29일 갑자기
뇌경색 및 뇌출혈이 발병하여 서울대학교 분당병원으로
옮겨졌다. 수술을 위해 엠아르아이(MRI) 검사를 받기 직전에
혼절하여 수술을 받았지만, 결국 깨어나지 못하고
국군의 날인 10월 1일(음 8월 10일) 아침 일곱시 오분에 영면했다.
향년 팔십사 세. 김익권은 일남삼녀의 자녀를 두었다.
유언에 따라 시신은 화장하여 이천의 가족묘원에 안치됐고,
골분(骨粉) 일부를 시곡농장에 수목장(樹木葬)으로 장사하였다.
이후 2010년 시곡농장에 있던 석불과 석탑은 군부대 포교당으로
이운(移運)되어 군대 안에서의 불교 포교에 큰 역할을 하고 있다.

시곡을 떠나보내며

369

9. 서울대학교 분당 병원에 차려진 김익권의 빈소. 2006. 10. 1.

370

371

370. 예불을 올리는 행산 스님. 2006. 10. 1.

371. 예불을 올리는 유족과 신도들. 왼쪽은 큰딸 형열, 둘째딸 형인, 오른쪽은 신도들. 위와 같은 날.

372. 장례식장의 유족들. 왼쪽부터 아들 형신, 셋째사위 유공식, 큰손자 성규, 작은손자 현규, 외손자 유성훈. 위와 같은 날.

373

374

375

3. 김녕김씨 학동종친회 공원묘원에 안치된
익권의 묘. 후에 아내가 별세하면 합장하여
석을 세울 예정이라 임시 묘비명을 세웠다.
10. 7. 29.
4. 한식 즈음에 찾아간 시곡농장 내의
목장 묘에서. 비석 바로 앞이 수목장지이다.
쪽부터 셋째사위 유공식, 외손자 유성훈,
째딸 형인. 2007. 4. 1.
5.시곡 김익권의 유족. 아내의 아흔한번째
일에. 맨 앞은 아내 한정희, 뒷줄 왼쪽부터
째딸 형인, 아들 형신, 큰딸 형열, 셋째딸 형의.
10. 2. 24.

376

377

376. 시곡도장에서 호국안국사(護國安國寺)로 이운된 석탑과 석불. 2010년 2월 2일
시곡농장에 있던 석불과 석탑은, 육군 3군수지원사령부 11보급대대의 호국안국사로 이운되었다.
호국안국사는 서부전선에서 군복무 중 사망한 육군들의 위패가 모셔진 곳이다. 그해 가을,
석탑 앞의 석불을 호국석불사(護國石佛寺)로 다시 이운하기 전에 임시로 안치했다. 2010년 봄.
377. 호국석불사 점안식(點眼式)에서. 육군 12연대 201대대 호국석불사의 본존불(本尊佛)로 모셔진
시곡농장의 석불. 2010. 9. 28.

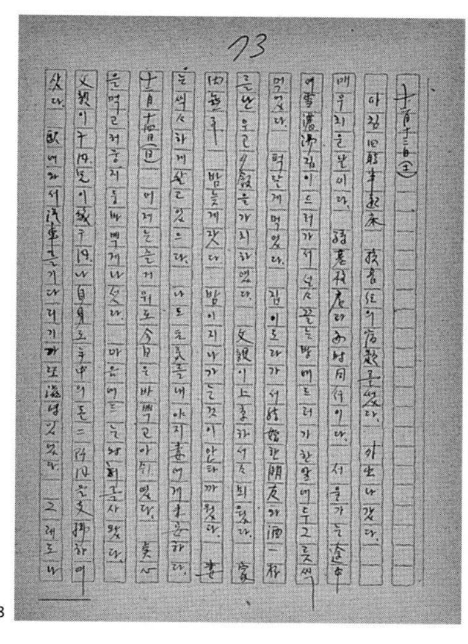

378

1

○ 出生과 少年時節

西欧文明의 요람인 '그리스'의 哲人 '소크라테스'는 自己弟子들을 일깨워주는데, '于先 너自身을 알어라!'하며 일러주었다고 들고있다.

> 2002年 '세계 월드컵 축구大会'에서, 우리國家代表팀의 監督을 맡어, 選手들을 選抜하고, 訓練하고 出戰시켜, 世界四强이란 奇蹟을 達成케한 '히딩크氏'가 쓴 自叙傳인 'My Way'를 읽어보니, 여러가지 卓越하고 独特한 리더-쉽에 매우 깊은 感銘을 받은바 있는데, 選手가운데, 아직 自信力이 不足하며 애쓰는듯하나, 꼭 大成시켜주려는 믿음이가는 선수에겐, 아침에 종종 얼굴이 마주칠 경우, "아침에 거울드려다 보고 나왔나?" 하고 묻는 버릇은 몇번이나 보았다. 바로 이것이 '너自身을 똑바로 드려다 보고, 너自身을 네가알고, 自信을 키우도록 하라!'는 付託이요, 激励라고 느껴진다.

KITA

379

380

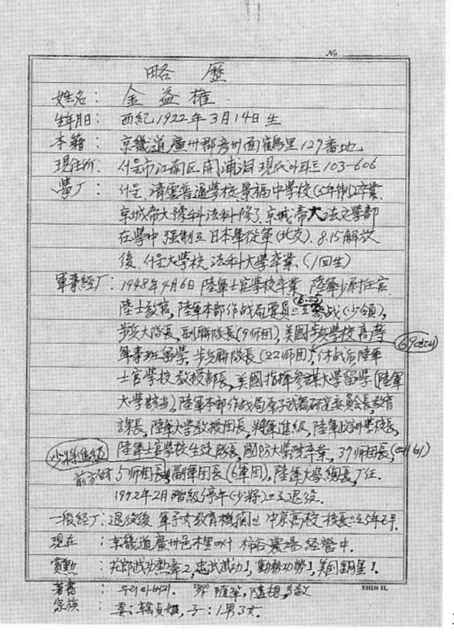

履歷

姓名: 金益權

生年月日: 西紀 1922年 3月 14日 生

381

378. 김익권이 조선경비사관학교 생도 시절에 썼던 일기.

379. 김익권이 남긴 자서전 원고. 제목을 '시곡한화(柿谷閒話)' 라 붙였다.

380. 1984년에 을지출판사에서 출판한『우리 아버지』. 생전 아버지의 가르침을 기록하였다.

381. 김익권이 1990년대 중반에 써 놓았던 자필 약력.

찾아보기

ㄴ

ㅇ

김익권(金益權, 1922-2006)은 경기도 광주(廣州)에서 태어나
서울대학교 법과대학(1회)과 육군사관학교(5기)를 졸업했다.
육이오 때 육군본부 소속 연락장교로 참전했으며, 육군본부 작전과장,
육군대학 교수단장, 육군정훈학교 교장, 육사 생도대장, 37사단장,
5사단장, 6군단 부군단장 등을 거쳐 육군대학 총장을 마지막으로
이십사 년간의 군 생활을 마치고 육군 소장으로 정년 퇴역했다.
이후 오 년간 중경고등학교 교장을 지냈고,
은퇴 후 시곡농장(柿谷農場)에서 농사를 지으며 노후를 보냈다.
*세부 약력은 『김익권 장군 자서전 1-참군인을 향한 나의 길』 pp.323-333의
'김익권 연보' 를 참조하십시오.

김형인(金炯仁, 1949-)은 서울에서 태어나 고려대학교 원예학과를 졸업하고
미국 뉴멕시코대학교 대학원 사학과에서 박사학위를 받았다. 고려대, 성신여대 등에서
강의했고, 현재 한국외국어대학교 사학과 겸임교수로 재직 중이다.
저서로 『미국의 정체성』, 역서로 『한국전쟁의 국제사』 등이 있다.

145

김익권 장군 자서전 3
사진 앨범

초판1쇄 발행 2011년 10월 1일
발행인 李起雄 **발행처** 悅話堂
경기도 파주시 교하읍 문발리 520-10 파주출판도시
전화 031-955-7000 팩스 031-955-7010 www.youlhwadang.co.kr yhdp@youlhwadang.co.kr
등록번호 제10-74호 **등록일자** 1971년 7월 2일
편집 조윤형 백태남 박세중 **북디자인** 공미경 황윤경 엄세희 **인쇄 제책** (주)상지사피앤비

*값은 뒤표지에 있습니다.

ISBN 978-89-301-0404-3 ISBN 978-89-301-0405-0(전3권)

Published by Youlhwadang Publishers. Printed in Korea.

이 도서의 국립중앙도서관 출판시도서목록(CIP)와
국가자료공동목록시스템(http://www.nl.go.kr/kolisnet)에서
이용하실 수 있습니다.(CIP제어번호: CIP2011003675)